D1249319

АЗБУКА
БЕСТСЕЛЛЕР

Эмир
Кустурица

СТО БЕД

Санкт-Петербург

УДК 821.163.41
ББК 84(4Югс)-44
К 94

Перевод с французского Марии Брусовани

Серийное оформление Вадима Пожидаева

Оформление обложки Виктории Манацковой

Кустурица Э.

К 94 Сто бед : рассказы / Эмир Кустурица ; пер. с фр. М. Брусовани. — СПб. : Азбука, Азбука-Аттикус, 2015. — 256 с. — (Азбука-бестселлер).

ISBN 978-5-389-09195-5

Новый сборник рассказов знаменитого сербского кинорежиссера, музыканта и писателя Эмира Кустурицы «Сто бед» стал сенсацией литературного сезона в Европе. Кажется, Кустурица воскрешает в прозе магическую атмосферу таких своих фильмов, как «Папа в командировке», «Жизнь как чудо», «Черная кошка, белый кот». Ткань жизни с ее устоями и традициями, семейными ритуалами под напором политических обстоятельств рвется, сквозь прорехи мелькают то змеи, пьющие молоко, то взрывающиеся на минном поле овцы, то летящие влюбленные («лететь — значит падать?»). В абсурдных, комических, бурлескных, а порой трагичных ситуациях, в которые попадают герои новелл, отразились взрывная фантазия автора, размышления о судьбе его родины, о том, как юность сталкивается с жестоким миром взрослых и наступает миг, когда детство остается далеко позади.

УДК 821.163.41
ББК 84(4Югс)-44

ISBN 978-5-389-09195-5

СТО БЕД

Драгана Теофиловича прозвали Зеко, то есть Зайка, потому что он обожал морковку. Но не только. Его большие глаза обладали способностью видеть то, что в Травнике замечали не многие. Восьмого марта 1976 года он стоял, прислонясь спиной к фонарю, и даже вообразить не мог, какой крутой поворот произойдет в его жизни. Зеко рассматривал неоновые огни улицы 29 Ноября, терзаемый мучительным вопросом: почему вот уже пять лет отец забывает, что девятого марта у него день рождения? Его отец, капитан первого ранга Славо Теофилович, был известен в Травнике как человек, который не заплатил своему другу за тридцать квадратных метров мелкой плитки и десять килограммов клея, потому что не знал, как это сделать!

Сверстники Зеко, жившие на его улице, лупили по мячу, офицеры готовились к посвященному Восьмому марта балу в клубе ЮНА[1]. Зе-

---

[1] *ЮНА* (Югославская народная армия; *сербохорват.* Jugoslovenska narodna armija, JNA) — Вооруженные силы Социалистической Федеративной Республики Югославии. — *Здесь и далее примеч. перев.*

ко перевел взгляд с фонарных огней на перекресток и железнодорожный мост.

«Эх, — подумал он, — смог бы я стереть из календаря день девятое марта, вздохнул бы с облегчением!»

Но страдал Зеко не только от этого. Он не переносил, когда из открытых окон автомобилей выбрасывали пустые упаковки из-под сухариков, смятые пачки сигарет и прочий мусор. В тот же миг Зеко увидел, как на скорости не меньше шестидесяти километров в час прямо перед ним выскочил какой-то *fića*[1] — определенно, с мерзким подарочком для него. Сейчас его или обхамят: «Чё вылупился, козел?!» — или забросают объедками и окурками. Резкий гудок, и в отворенную форточку высунулась рука, размахивающая пустой коробкой из-под лекарства с надписью: «Бронши, трубочист горла!»

— Я тебе, кретин! Какого черта ты мусоришь в моем городе!

Схватив смятую пачку и угрожающе потрясая ею, Зеко бросился вслед за машиной; по дороге он подобрал еще кое-какой мусор и выбросил его в контейнер. И все же мысль о том, что прежде на этом перекрестке было еще хуже, успокоила его.

До семьдесят пятого года, проезжая здесь, машинист поезда «Чиро»[2] приводил в действие

---

[1] Уменьшительное от «Фиат-500» *(сербохорват.)*.

[2] *Поезд «Чиро»* — короткий поезд, состоящий всего из двух локомотивов и двух вагонов.

гудок паровоза, который изрыгал насыщенный сажей пар. Его подхватывал ветер, и все выстиранное и развешанное в их квартале белье в долю секунды становилось грязным. Зеко очень не нравилось, когда дело касалось балкона Теофиловичей. Случалось, «Чиро» заплевывал всю улицу, а вдобавок из окон автомобилей выбрасывали мусор!

И что прикажете делать? Спускаться и убирать на улице или бежать на балкон, чтобы спрятать белье в надежном месте в комнате?

В худшие моменты Зеко умел принять правильное решение.

Махнув рукой на мусор, он бросался на балкон, чтобы собрать простыни и отцовские рубахи и избавить мать от лишней нервотрепки. Что же до чистоты перекрестка — это подождет.

Порой ветер заставал его врасплох и гнал отбросы в Лашву. Тут уж Зеко буквально впадал в бешенство. По весне зрелище зацепившихся за свисающие над рекой ветки деревьев разноцветных пластиковых пакетов было для него по-настоящему невыносимо. Это напоминало ему стены казармы Петара Мецава, где служил отец. Тогда, вооружившись палкой, Зеко изо всех сил молотил по листьям. Видя всю неэффективность своих попыток отцепить пакеты, которые только рвались и еще больше запутывались, он с удвоенным остервенением колотил по веткам и даже ломал их.

«Если бы меня сейчас видели, — думал он, — точно приняли бы за чокнутого!»

И все же, несмотря на трудности жизни, и у Зеко была своя отдушина — наперсник, которому можно было излить душу.

В ванне, за ненадобностью отправленной в подвал пятиэтажного дома, прямо под их квартирой, плескался карп, которого капитан купил на базаре в преддверии *slava*[1]. Они тайком отмечали этот праздник в декабре. К бетонной стене над ванной была приколочена деревянная табличка, на которой мелом было написано: «Сто бед».

Горан, старший брат Зеко, с нетерпением ждал, когда пробьет час и он сможет поклясться головой своего покойного отца. Такая поспешность сделала его знаменитостью улицы 29 Ноября. Правда, прежде следовало дождаться кончины капитана Славо. В разговорах с младшим братом Горан не скрывал, что его раздражает медлительность отца:

— Поскорей бы наш старик сдох!

Но Зеко не разделял жестокосердия брата.

— Ты же видишь, отец обо всем думает, — возражал он. — Уже в марте раздобыл рыбу, которая понадобится ему только в декабре. Правда, отличная мысль?

— Скажешь тоже... Нашармака получил!

---

[1] Праздник Крестной Славы — у православных сербов праздник, который посвящен святому покровителю всех членов семьи *(сербохорват.)*.

— Нашармака... Как это?

— Задарма. Чего-то там нахимичил с отцом одного солдата, чтобы сынок мог съездить на выходные в Нови-Сад! Смекаешь, братишка?

— Ты о чем?

— Да он собственную задницу продаст, чтобы поиметь что-нибудь на халяву!

Убедившись, что поблизости никого нет, Зеко крадучись спустился в подвал, закрыл окно, надел маску и, прежде чем залезть в ванну, сунул в рот трубку. Он погрузил в воду голову, а потом и тело. Когда в подвал вошла перворазрядница, чемпионка по шахматам Социалистической Республики Боснии и Герцеговины Миляна Гачич, над бортиком торчали только его ноги. Сцена была ей хорошо знакома. Вот уже две недели ее темно-синие глаза на бледном лице, окаймленном черными прямыми волосами, тщательно причесанными под принца Валианта[1], наблюдали эту картину. Миляна только не понимала, что же такого могли рассказывать друг другу мальчик и рыба. Девочка терялась в догадках. Да и могло ли быть иначе, если надпись на табличке гласила «Сто бед»? Но не только любопытство двигало умной разрядницей. Несколько дней она с симпатией и осторожностью следила за мальчиком. Часто случалось даже, она шла за ним по улочкам-переулочкам Травника! При его появлении она

---

[1] Одноименный фильм с Робертом Вагнером в заглавной роли (1954).

тотчас становилась как зачарованная. Жгучее желание посмотреть на него в упор было так же сильно, как страх встретиться с ним глазами. Влюбившись, она даже похудела. А верный своей привычке Зеко изливал душу рыбище. Карп лишь изредка раскрывал рот, словно давая знак, что понимает. Зеко сказал отцу, что прочел в русской книжке «Чевенгур», будто рыбы молчат не по глупости.

— У людей все по-другому, — отвечал отец. — Молчат одни дуры. Рыбе нет никакого резону болтать. Она ничего не говорит, потому что все знает, а вовсе не потому, что, как думают некоторые, ей нечего сказать или она глупа.

— Дома у нас все плохо, — откровенничал Зеко с рыбой. — Горан только и мечтает, чтобы отец поскорей умер. Родители здорово не ладят: мать сказала отцу, что ждет, когда дети подрастут, чтобы бросить его и бежать куда глаза глядят, потому что у него одни бабы на уме. А мне кажется, все совсем не так. Отец отличный мужик. Понимаешь, карп, странное дело: с виду прямо бог, а в душе — несчастный человек. Он как солдатская койка в казарме: застлана по уставу, а матрас рваный, изъеденный молью и мышами. И у меня в мозгах все разъедено, будто это не моя башка, а головка сыра, в которую забралась мышь.

Миляна вовремя ретировалась. Обычно под конец разговора карп несколько раз выпрыгивал из воды, словно показывал Зеко, как он рад его обществу.

«Март побеждает», говорили старики, когда начинал подтаивать снег. Так или иначе, но многие обитатели Боснии и Герцеговины погибали во время резкого перехода из зимы в весну. Зеко ненавидел март. Он давно понял, что из-за Восьмого марта, женского праздника, все забывают про его день рождения. Именно поэтому за обедом он завел разговор, зайдя с другого конца.

— А почему нет мужского праздника? — спросил он Аиду, свою мать.

— Потому что у мужчин каждый день праздник.

— Но почему женский праздник именно восьмого марта, а не в какой-нибудь другой день?

— Чтобы Славо мог забыть про твой день рождения! — съехидничал Горан.

И на сей раз, как обычно Восьмого марта, семья Теофилович отправилась на праздничную прогулку. Аида и Горан помалкивали, полагая, что так будет лучше: стоило пикнуть, и у Славо всегда находилось не меньше сотни теорий, опровергающих все, что могло бы быть сказано! Вдруг Зеко приспичило перемахнуть через насыпь и шлепать по грязи на берегу Лашвы. И он тут же оказался в воде, доходившей ему до щиколоток. Ему хотелось привлечь внимание отца.

— Почему горожане не могут договориться и почистить реку, тем более что она у нас одна? — ни к кому не обращаясь, спросил Зеко.

— Вылезай оттуда, пневмонию подхватишь! И не суйся в то, что тебя не касается! — закричала Аида, с ужасом представив, как ее сын первым принимается за расчистку.

— Ишь чего удумал! Схлопочешь у меня!

Зеко заметил прямо посреди реки большой камень. Не обращая внимания на слова матери, он вглядывался в мелкую рябь на поверхности воды и камешки у себя под ногами. «Под этой галькой, наверное, пролегает скалистая гряда, которую невозможно сдвинуть, — размышлял он. — Точно как в нашей семье: мы думаем, вот-вот все наладится, но что-то тяжелое удерживает нас на дне и не дает шевельнуться...»

После вторичного окрика матери Зеко вылез на берег. Аида сняла с него башмаки, растерла ему пальцы и согрела ступни своим дыханием. Зеко ждал реакции отца.

— Славо, дружок, почему ты не обнимешь сыночка? Ведь не отсохнут же у тебя руки!

— Это небезопасно.

— Что именно? Обнять сына?

— Мир пожирают невидимые вирусы. А не только американские и русские, как многие полагают! Так и до конца света недолго!

— Если скоро конец света, значит мы все погибнем! Ну же, обними его!

Лазо Дробняк, полковник и комендант казармы Петара Мецава, страдал из-за бесплодия своей жены Светланы. Глубоко погруженный в собственные переживания, он одновременно со Славо вошел в казарму ЮНА. Поняв, что встреча с капитаном Теофиловичем неизбежна, полковник постарался скрыть неприязнь. Разумеется, Теофилович действовал ему на нервы как военный. Но как человек бесил его еще больше. Он знал, что Славо хранит у себя штатскую одежду солдат из Крагуеваца, чтобы те могли по выходным переодеться и пойти выпивать или снимать девок на танцах. Еще недавно все бегали в город, чаще всего, когда дежурным по казарме бывал Славо. Допустим, он облегчал возможность проявления местного патриотизма и привязанности к региону, но при этом подрывал репутацию казармы и ее коменданта. По правде сказать, полковник Дробняк, может, еще простил бы своему капитану первого ранга недостаток ответственности, но как человек тот был ему отвратителен. Как-то раз, во время маневров на высотах возле горы Голия, вертя в пальцах стакан с вином и не сводя глаз с пятна на скатерти, полковник бросил:

— Говорят, человек произошел от обезьяны, слыхал, Славо? Как по-твоему, во что он превратится в будущем?

— Ну и вопрос! Спросите тех, у кого котелок варит, а не у нас, пехтуры!

— Я думаю, при следующем витке эволюции человек превратится в коня.

— Как так в коня? Откуда вы знаете, полковник?

— А ты на себя посмотри! У меня нет и тени сомнения.

— На себя? Мне посмотреть на себя?

— Ну да, ты конь, Славо! Самый настоящий конь! Племенной... Ха-ха-ха! Липицанской породы! Скаковой... — И полковник заржал.

Он так хохотал, что закашлялся и едва не задохнулся. Его пришлось погрузить в *«campagnola»*[1] и доставить в санчасть, где для восстановления дыхания ему дали кислород. Славо тоже не оставался в долгу. Он распространял тучу сплетен насчет Дробняка, особенно про его кума, служащего в контрразведке. Но всякий раз, встречая капитана в казарме, полковник принимался ржать, тише или громче, в зависимости от настроения.

Поднимаясь по широкой лестнице, ведущей в главный зал казармы ЮНА, Дробняк развлекал семейство Теофилович: ржал как лошадь. Распялив рот до ушей в горькой улыбке, Славо очень хотел надеяться, что ни Аида, ни дети не понимают, в чем дело.

Сеанс одновременной игры в шахматы, в котором гроссмейстер Светозар Глигорич выступал против военных и штатских Травника, требовал почтительной тишины: никакого шума, кроме скрипа паркета под ногами и стука фигур по доскам. Среди расположившихся по кру-

[1] *«Fiat Campagnola» (ит.)* — автомобиль повышенной проходимости, выпускавшийся компанией «Fiat» с 1953 по 1971 г.

гу игроков находилась и Миляна Гачич. Она встретилась взглядом с Зеко в тот самый момент, когда Глигорич делал ход. Девочка опустила глаза, поспешила ответить, и взгляд ее тут же снова перенесся на Зеко. Когда гроссмейстер заметил, что она играет как бог на душу положит и не сводит глаз с мальчика, пальцы его на мгновение замерли над фигурами, он быстро сделал следующий ход и перешел к соседнему столу. Ощущая на себе пристальный взгляд Миляны, Зеко в растерянности метнулся в другой конец зала, где возле подиума толпились участники школьного хорового кружка. Миляна знала: это долгожданная возможность познакомиться. Она поднялась из-за стола, пробежала через зал и остановила Зеко в тот самый миг, когда тот уже шагнул на эстраду.

— Эй, а я тебя знаю!

— Тоже мне нашла чем хвастаться!

— Причем давно!

— И что с того?

— Ты мне нравишься.

— Что ты плетешь? Не видишь, на нас все смотрят!

Зеко растворился в толпе хористов, а Миляна вернулась к своему столу, где ее, улыбаясь, поджидал Глигорич. Гроссмейстер был удивлен. Он смотрел на доску и глазам своим не верил: судя по расположению фигур, партия закончилась в ничью. Пат! Окончательно убедившись в этом, Глигорич захлопал. Все присутствующие тоже стали аплодировать успеху Миляны Гачич — все, кроме Зеко. Тот, спрятавшись в последнем ряду хора, с нетерпением ожидал, когда начнется торжественный концерт и они запоют национальный гимн «Гей, славяне!».

Девятого марта 1976 года Аида проснулась с сильной мигренью — последствие скверного вина и сцены, устроенной ею мужу накануне вечером по возвращении домой. Она воспользовалась женским праздником, чтобы предъявить супругу полный список того, что она терпела последние пятнадцать лет. Тихонько приоткрыв дверь, Аида вошла в спальню сыновей и раздвинула шторы. Свет залил небольшую комнату. Зеко резко подскочил в постели и, скосив глаза, закричал:

— Ой, я опаздываю на первый урок!

— Да нет, дурачок! Сегодня воскресенье и твой день рождения.

Мать погладила его по голове и вручила сыну подарок.

По пути в кухню Зеко натянул связанный матерью небесно-голубой свитер. Собственное отражение в зеркале заставило его улыбнуться. В кухне Горан подарил ему шоколадные палочки в вощеной бумаге. Зеко сразу бросился в ближайшую пекарню за хлебом. В дверях его догнала Аида с ветровкой:

— Ты простудишься, накинь что-нибудь! На улице холодно!

Вернувшись, Зеко тотчас отрезал себе ломоть хлеба и воткнул в него палочки. Пять штук. Хлеб с шоколадом! Его любимое лакомство... Впившись зубами в свой деньрожденный подарок, он промычал:

— На свете нет ничего вкуснее!..

После завтрака Зеко заторопился. Воскресенье воскресеньем, а дела не ждут. Зажечь керосиновую лампу было настоящим искусством. Отрегулировать доступ и отток воздуха — задача не из легких. Понадобилось подуть в тонкую трубочку, зажав ее губами. Теперь шоколад его деньрожденного подарка отдавал керосином. Наполняя резервуар лампы, мальчик задумался, забудет ли отец снова о его дне рождения? И тут на материнский подарок брызнула капля керосина.

«Ну вот! Можешь не сомневаться, Аида хорошенько тебя взгреет!» — внутренне подготовился Зеко.

В кухне он сгорбился, точно Чарли Чаплин, уткнувшийся носом в угол дома, и хорошенько спрятал руку, чтобы мать не заметила пятна, расплывшегося у него на рукаве.

С тех пор как отец приобрел «вартбург»[1], соседи со второго этажа заметили, что около дома исчезли комары. Когда заводился двухтактный двигатель, автомобиль выпускал клубы дыма, заволакивающего весь первый этаж и истреб-

[1] *«Вартбург»* — марка восточногерманских легковых автомобилей.

ляющего любое насекомое до уровня второго. Славо не спорил, что выхлоп не слишком чистый, но хотел, чтобы новехонький великолепный «вартбург» был у него на глазах.

Автомобиль стоял на месте, и Зеко непременно следовало еще раз похвалить отцовскую мудрость:

— Что за хитрец наш Славо! Оставляет машину на освещенном месте, ровнехонько под фонарем. А воры света не переносят и сматываются.

— Да ладно, братишка... Ты дурак или прикидываешься?

— Я дурак? С чего это?

— Славо кретин!

Сегодня, в день рождения, настал час поткровенничать с карпом. Зеко спустился по лестнице, но путь в подвал ему преградила Миляна с букетом белых роз:

— С днем рождения!

— Чем это чемпионка по шахматам Социалистической Республики Боснии и Герцеговины занимается возле надписи «Сто бед»?

— Не важно.

— А что важно?

— Я тебя обожаю и поздравляю с днем рождения. Ради тебя я на все готова.

Выпалив это, девочка умчалась. Зеко был поражен. Он как раз собирался кое-что ей втолковать. Никто не имел права входить в помещение с надписью «Сто бед». Даже его отец, чьей любви он так давно пытался добиться. Но ради простой ласки или поцелуя он готов поступиться своим правилом. При мысли о строительстве их дома в деревушке Донья-Сабанта у Зеко кружилась голова.

«Вартбург» был слишком мал, чтобы перевезти все необходимые стройматериалы. Два раза в месяц, по воскресеньям, когда Славо не дежурил в казарме, Теофиловичи отправлялись в Сербию. На свалке возле Сараева делали остановку, отец собирал выброшенные кем-то бетонные блоки, битый кирпич, цемент, черепицу и под завязку набивал всем этим багажник. Не без труда захлопнув капот, он уже у следующей помойки засыпа́л Аиду, Горана и Зеко целыми охапками самых разношерстных материалов. Привал в кафе «Семафор» в горах возле Ниша не был для Теофиловичей нормальным отдыхом. Они ощущали себя пехотинцами на марше и воспринимали путешествие в Донью-Сабанту как военную операцию. Высадившись из машины, Аида, Горан и Зеко пошатывались, кашляли и пытались прийти в себя. Потом осторожно выгружали стройматериалы и прятали за дощатый сортир в надежде, что до их следующего приезда никто ничего не украдет.

Для Славо автострада Белград—Ниш была настоящей головоломкой. Заметив интересную свалку, он отказывался резко тормозить из боязни спровоцировать столкновение. Затем, словно готовясь к боевым действиям, останавливал машину и с решимостью идущего на штурм и готового умереть солдата совершал правонарушение — давал задний ход. В мирное время это приводило капитана первого ранга в крайнее возбуждение. Он пятился, и ему легко представлялось, как все эти стройматериалы превращаются в стены его сельского дома. Развернув три четверти корпуса назад и неотрывно глядя поверх стройматериалов и голов своих близких, он заставлял «вартбург» вихлять из стороны в сторону, однако строго придерживался траектории движения к запримеченной свалке. Тогда, словно выполнивший задание лазутчик, Зеко давал волю своему восторгу:

— Ого, па! Целая куча материалов! И вдобавок ничейная!

Подняв голову над грудой битого кирпича, Аида и Горан удивленно переглядывались:

— Куча? Ничейная?

— Ну да!

Зеко указывал место и пытался разглядеть, как отец в зеркале заднего вида поощрительно подмигнет ему.

Когда всю «ничейную кучу» упихивали в машину, автомобиль превращался в подводную лодку, готовую в любой момент пойти ко дну и лишить своих пассажиров кислорода. Заметив, что у Горана и Зеко мутнеет взор, Аида умудрялась выпростать руку, чтобы опустить стекло. Нелегкие условия путешествия то на передней, то на задней передаче лишали их всякого представления о времени. Что же касается понятия пространства, об этом лучше вообще не говорить. Когда количество переключений с передней передачи на заднюю превосходило его ожидания, а близкие впадали в апатию, Славо прибегал к цитатам:

— «Два шага вперед, шаг назад», как говорил великий Ленин![1]

Однако, по мнению Аиды и ее сыновей, семья совершала, скорей, два шага вперед, два шага назад — или, чтобы уж быть совсем точными и верить очевидному, вообще не двигалась с места. По прибытии в Донью-Сабанту эта формула движения лишь слегка нарушалась торопливыми объятиями с дедушкой и бабушкой, родителями Славо, и временем, необходимым для того, чтобы приколотить к стене деревенского дома плакат времен Второй мировой войны: «Мины. Опасно для жизни».

Потому что больше всего капитан первого ранга боялся, что его обворуют.

После чего семья стремительно отправлялась в обратный путь, чтобы Славо мог вовремя вернуться в Травник и поспеть на дежурство. В воспоминаниях Зеко и в зеркале заднего вида «вартбурга» не оставалось ничего, кроме печального взгляда бабушки и напутственного

[1] Капитан ошибается, статья Ленина носит название «Шаг вперед, два шага назад».

благословения дедушки перед отъездом их сына, снохи и внуков. Едва бабушка успевала бросить окорок в «вартбург», в голову Зеко, как время вновь пускалось вскачь.

Словно для того, чтобы скрыться от отца, Зеко вошел в кухню, пряча забрызганный керосином рукав. Он был похож на Моца, нападающего белградского «Партизана» Момчило Вукотича, который опускал рукава футболки, когда был настроен выиграть матч. Аида сообщила сыну, что отец спешно прислал военного курьера с донесением.

— Через час он ждет нас всех в казарме! Говорит, приготовил тебе подарок.

— Нет...

— Если ты мне не веришь, читай сам...

— Горан говорит, что вчера ты жутко пробрала его, — заметил Зеко.

— Надевай куртку и не суйся не в свое дело.

— Ладно, но без тебя он ни за что не вспомнил бы о дне рождения Зеко!

— Прекрати, Горан! Он пишет, что подготовил нечто незабываемое!

— Мне кажется... А вдруг это велик! — воскликнул Зеко.

Взволнованный, раскрасневшийся, он первым бросился по дороге, некогда соединявшей Сараево и Травник. За ним следовал Горан. Замыкала шествие Аида. Она была счастлива: наконец-то муж исполнит желание сына. Тот, возбужденный, вообще не мог представить себе никакого подарка.

— Если он задумал искупить свои ошибки, — бросил Горан, — ему придется раскошелиться!

В воображении Зеко возникла картинка, которую показывал ему брат матери: педальная машина...

Или, например, самолет... который взлетает, как на пружине, а потом просто так приземляется, как пчела на цветок. Или — почему бы и нет — щенок овчарки...

Аида с трудом поспевала за ними. После вчерашнего бала она чувствовала себя какой-то замаранной. Переизбыток выпитого и все то, что она бросила в лицо Славо...

— Пока мужику в морду не заедешь, он ничего не понимает! — твердила она. — А при этом еще и улыбаться надо.

— Подождите... дети... не могу больше! Ради всего святого, не бегите вы так!

Казалось, бежать по шпалам заброшенных путей — это игра, маленький праздник для Теофиловичей, некий вираж, который Славо совершил в их существовании искуплением своих ошибок и деньрожденным подарком.

— Если это всего лишь парусник, пусть он сдохнет!

— Хватит! — закричала Аида, замахиваясь сумкой, чтобы стукнуть Горана, но тому удалось увернуться от удара.

Зеко подумал, что путь к казарме не сравнить с их марш-бросками в Донью-Сабанту. Что ни говори, а время текло, идеи отца или Ленина не могли его остановить. Его можно было слышать так же, как ветер, шумящий в ушах. Сладкая тревога наполняла тело Зеко.

На посту перед казармой Петара Мецава стоял молодой солдат-первогодок. Когда Теофиловичи приблизились, он, широко улыбнувшись, погладил Зеко по голове.

«Доброе предзнаменование», — подумал мальчик.

— Как дела, товарищ Аида? — спросил солдат.

— Отлично! Трудимся на благо родины! — И она указала на сыновей.

Их усадили в *«campagnola»*. В небе над казармой летали сороки. Автомобиль остановился перед ангаром, и молодой солдат помог герою дня выйти из машины. Тяжелая дверь отворилась, и появился капитан Славо Теофилович. Он указал на четыре бездействующих танка Т-84:

— Дорогая семья, добро пожаловать!

Зеко с восхищением глянул на отца.

«Подарок точно будет похож на салют в праздник Республики», — подумал он.

Вдруг отец крепко схватил сына за руку и потащил к танку. Затаив дыхание, Зеко не сводил глаз со Славо. Они подошли к машине. Тут из люка высунулась голова солдата в танкистском шлеме, последовало очередное военное приветствие. Славо оторвал Зеко от земли и передал солдату. Крепкие руки обхватили тело мальчика и аккуратно перенесли в утробу танка. Зеко устроился подле танкиста. Вся семья склонилась над люком. Зеко видел головы родных. Он, не моргая, следил за движениями солдата, смотрел, как тот поднимает и опускает прерыватель на щитке управления. Солдат крепко взял Зеко за руку и указал ему на красную кнопку пуска. Зеко вопросительно посмотрел на отца. Славо великодушно кивнул, и мальчик нажал кнопку. Тут же заурчал мотор, Зеко ощутил мощь лошадиных сил, которые, несмотря на бронированный панцирь, заставили задрожать все его тело — не только его, но и каждого члена семьи Теофилович. Под воздействием неизмеримой силы все дрожало, сталь трепетала, Зеко подскакивал, а вместе с ним его щеки, сердце! Внезапно, неизвестно почему, в его воображении возникла Миляна Гачич. Девочка привиделась ему в тряске и лязганье металла. Зеко нравились ее волосы, по ним-то он и догадался, что это она.

Славо обернулся к Аиде, глянул на Зеко, протянул к сыну руки и отрывисто произнес:

— Драган, сынок, с днем рождения!

Мальчик не расслышал. Зачарованный мощью мотора, он ждал своего подарка, полагая, что нажатие красной кнопки знаменует начало веселья. Он не понял, что праздник закончился.

Домой Теофиловичи возвращались в молчании.

— Горан... — нарушил тишину Зеко, — ну и что за жизнь меня ждет с такими днями рождения?

— На следующий год будет то же самое, только ты получишь право один раз стрельнуть из пневматического ружья!

— До чего же ничтожна моя жизнь...

И Зеко бросился бежать по шпалам заброшенных железнодорожных путей, постаравшись обогнать всех, чтобы брат не заметил текущих по его щекам слез.

«Жизнь ничего не стоит, — думал он, — сто бед... и ничего больше...»

Когда в его воображении возникало лицо Миляны Гачич, на сердце становилось теплее. По правде говоря, Зеко вел список тех, кому он нравился, что позволяло ему вычленить всех, кто его не любил. Для ясности. Мама? Разумеется, ведь она его мать! Брат? Брат и есть брат, поэтому их обоюдная привязанность проявлялась только во время уличных драк. Так что нет. Отец? Он не любит никого, кроме себя. Вычеркиваем. Печальная картинка. В итоге остается... одна Миляна. Но она не в счет...

Со стороны стоящего возле путей дома раздался собачий лай. Зеко остановился и глянул за ограду. Он утирал обшлагом мокрые щеки, а во дворе рвалась с толстой цепи овчарка. Быть может, она как раз из тех псов, которые так и не смирились с мыслью, что никогда не будут волками? Громадная, грязная собака с огромной головой яростно рычала. Она казалась опасной — что само по себе не имело никакого значения. Почуяв присутствие человека, собака встала на задние лапы, чтобы увидеть, кто пытается подойти к ней сзади, и, натянув цепь, почти лишилась опоры о потрескавшуюся землю. Зеко не мог вынести страданий зверя: он бросился вперед и потянул за цепь. Пес перестал рваться и, встав на все четыре лапы, резко дернулся. Его челюсти сомкнулись на ноге Зеко, почти у самой земли. Мальчик взвыл от боли. Парализованный ужасом, он не сводил испуганных глаз с рычащего зверя. Сильно натянутая цепь в конце концов лопнула. Освобожденный от пут хищник, припадая на все четыре лапы, двинулся к пятящемуся Зеко. Мальчик от страха утратил контроль над мочевым пузырем, и волна горячей влаги хлынула у него по ноге. Шаг за шагом Зеко отступал во двор, как вдруг услышал голос Аиды:

— Ради всего святого, выйди оттуда! Побыстрей!

Горан оказался самым разумным: вырвал из забора планку с торчащим из нее большим гвоздем. Но пока он целился в голову пса, тот бросился на Зеко и снова укусил его: в левую ляжку. Стоя возле ограды, Славо молча наблюдал сцену. Аида изловчилась и, схватив за куртку, выдернула Зеко со двора, а Горан одним ударом вонзил гвоздь псу промеж глаз.

— Только дурак может позволить сидящей на цепи собаке дважды укусить себя! — изрек капитан Славо.

Даже по возвращении домой после диспансера, где Зеко ввели противостолбнячную сыворотку, в его ушах все еще звучал голос отца: «Только дурак может позволить сидящей на цепи собаке дважды укусить себя!» Очевидно, эти слова имели тайный смысл, но Зеко не пытался отыскать его. Дурак, без сомнения, это он, Драган Теофилович. И самое паршивое — что таково мнение отца.

В тот вечер Зеко канителился больше обычного: он надолго застрял в наполненной теплой водой ванне, бесконечно чистил зубы, потом разглядывал себя в зеркале. Улегшись наконец, он молча уставился в потолок. На соседней кровати Горан листал иллюстрированный журнал.

— А что, жизнь так же неизменна, как дно реки?

— Чего ты там бормочешь?

— Я это сегодня заметил. Когда дует ветер, поверхность воды меняется, но на дне все остается неподвижно.

— Ничего не понял...

— Я хочу все изменить.

Горан не уловил отчаяния в голосе младшего брата, иначе продолжил бы разговор с ним. Зеко ждал, пока все уснут, чтобы спуститься в «Сто бед». Собачьи укусы все еще болели, но это было сущей ерундой по сравнению со страданиями его детской души. В полночь, когда уснули соседи, а вместе с ними практически весь Травник, Зеко поднялся с постели. Он принял решение: сегодняшний визит в «Сто бед» будет последним. Он спустился в подвал, даже не озираясь. С Лашвы дул холодный ветер; из подвальных окон несло вонью. Зеко почему-то вспомнилась каменистая гряда, веками пролегающая на дне реки. Он неторопливо снял пижаму, как будто надеялся, что кто-то придет и помешает ему сотворить глупость. Неожиданно на память ему пришла история про двух братьев с их улицы. Когда младший разбился об асфальт, прыгнув с шестого этажа, старший, расплющив нос об оконное стекло, прокричал: «Придурок!» — и плюнул на распростертое тело.

Тогда все на улице сошлись на том, что это глупый поступок. Теперь Зеко был полон решимости тоже совершить глупость. Он снял пижаму и залился слезами. Но они не изменили его намерения. Он взглянул на надпись на табличке: «Сто бед». Взобравшись на табуретку возле ванны, Зеко зажмурился. Он дрожал всем телом и от холода, и от страха. Секунды шли, а он сотрясался все сильнее. В противном случае он, возможно, слез бы с табуретки. Посмотрев вокруг, он прыгнул в воду. Но случайно выбил одну из чурок, подпиравших ванну. Стоявший вплотную к ванне шкаф с припасами на зиму накренился, дверцы распахнулись, и по полу покатились банки с домашними заготовками.

Миляна Гачич мирно спала, когда случилось что-то невероятное: разбилась банка консервированных помидоров и они пошлепали вниз по лестнице, прямо к входной двери. В полусне Миляна машинально накинула поверх ночной рубашки пальто, надела туфли и бросилась вслед за помидорами.

Лежа под водой с чуть приоткрытыми глазами, Зеко ждал, когда в легких закончится воздух. Карп неподвижно глядел на него в ожидании откровений.

— «Только дурак может позволить сидящей на цепи собаке дважды укусить себя!» Отец прав, — заявил Зеко карпу, в полной решимости задохнуться.

Банки с консервированным перцем катались по залитому маринадом полу, а девочка, вступившая в самую решающую пору своей жизни, торопливо сбежала с первого этажа в подвал. Она бросилась прямо к ванне и увидела, что карп бьет хвостом по воде, в которой плавает голое тело Драгана Теофиловича. Схватив его под мышки, ценой неимоверных усилий она с тяжелым стоном вытащила безвольное тело и уложила на пол. Распростертый на спине Драган не подавал признаков жизни.

В час ночи десятого марта 1976 года Драган Теофилович и Миляна Гачич обменялись первым поцелуем. По правде сказать, это скорей было вдувание воздуха рот в рот, искусственное дыхание. Именно мечта маленькой влюбленной девочки помогла Зеко вернуться к жизни. Едва открыв глаза, он расплакался. А потом, когда Миляна снова прижалась губами к его рту, улыбнулся.

Любовь поворачивает судьбу к лучшему, несчастья не вечны. Теперь воспоминания Драгана Теофиловича о пережитых суровых днях остались в прошлом, их заслонили другие, более приятные и безмятежные. Лето Миляна и Зеко провели возле порожистой Лашвы, в ее верхнем течении. Они обнимались, вопили от переполнявшего их счастья, молотили по воде руками и ногами, жевали хлеб с острой овощной приправой айваром, объедались вишней и цеплялись за груженные сеном подводы, во все горло выкрикивая свои имена. Отныне для них не существовало ничего, кроме желания всю жизнь провести вместе! Когда они разлучались, что бывало только ночью, они продолжали быть столь близки в своих мыслях, будто никогда и не расставались в реальности. В конце лета объятие на берегу Лашвы заставило их совсем потерять голову, и их тела слились воедино.

Хотя любовь — это самое великое чудо жизни и может управлять свободными людьми, она не властна над судьбой кадрового военного. Четырнадцатого июня 1977 года полковник Милой Гачич был переведен на службу в Скопье.

Горе Драгомира Теофиловича было беспредельно — тот день стал для него черной пятницей. Разумеется, он умел побеждать страдания. Но он знал, что теперь не сможет поджидать Миляну после уроков возле школы. По утрам, едва проснувшись, бежать за свеженькими булочками кифле, чтобы подвесить их в пакете на ручку ее двери. К чему перечислять все это? Его любовь уезжает, жизнь — сплошное горе. Но теперь он умел сопротивляться.

Стоя возле автобусной остановки, Зеко, несмотря на всю свою печаль, ощущал, что стал настоящим мужчиной. Пока полковник Гачич грузил тюки и баулы в автобус, Миляна и Зеко держались за руки. Зеко хотел помочь добродушному полковнику, но тот махнул рукой в сторону дочери:

— Теперь не до глупостей.

Дети целовались за автобусом, и проходящий мимо полицейский укоризненно погрозил им пальцем. Поскольку предостережение не подействовало, он потребовал предъявить документы.

— Мы несовершеннолетние, у нас их нет, — отвечала Миляна, не отрываясь от губ мальчика.

— До чего же я люблю тебя! — сказал Зеко.

— А я тебя! Больше всего на свете!

— Я обязан тебе жизнью.

— Обещай мне только одно...

— Что? Скажи!

— Ты должен поклясться! Сдержишь клятву?

— Клянусь!

— Поклянись, что в один прекрасный день ты найдешь меня.

— Когда?

— Не важно когда, не важно где...

— В тот день, когда я найду тебя, мы поженимся!

Хриплый клаксон автобуса и клуб дыма, вырвавшийся из пробитой выхлопной трубы и смешавшийся с пылью, стали звуковым и зримым доказательством исчезновения Миляны Гачич.

Глупость, которую он едва не совершил, научила Зеко всякий раз, когда его охватывала тоска или сплин, даже если они были совершенно нестерпимыми, объективно смотреть на вещи и усмирять свои эмоции. Впрочем, если бы он решил повторить все снова, Миляны больше не было рядом, чтобы спасти его!

Бальзамом на его израненную душу стал перевод отца в Мостар. Что за жизнь была бы у него в Травнике без Миляны?

После школы Зеко полюбил сидеть на берегу бурной Неретвы, смотреть на пороги и бросать в воду запечатанные в бутылки любовные послания. Неретва, в отличие от Лашвы, будила в нем другие чувства и мысли: зеленая, глубокая, с постоянно меняющейся поверхностью и ложем с вросшими в него тысячелетиями сохраняющими неподвижность крупными каменными глыбами. Эх, если бы жизнь могла захватить его своим мощным потоком, а похожий на желание ветер принес бы ему что-то новое, что в корне изменило бы его существование! Таковы были помыслы Зеко. Точно как течения и ветры, влияющие на поверхность Неретвы. Когда он найдет Миляну, утешал он себя, жизнь станет вечной и ненарушимой.

Кроме того, Мостар проявил в характере Зеко новую черту. После своей «глупости» он, разумеется, больше не обменялся ни единым взглядом, а уж тем более словом с отцом, однако унаследовал от Славо его организаторские способности и военную точность. Когда в Мостар приехал рокер Любиша Расич, Зеко помог ему организовать концерт. И это стало для мальчика началом новой жизни. Чтобы тебя заметили в мире рок-н-ролла, если ты не стоишь на переднем крае сцены, нет ничего лучше работы *roadie*[1]. Не было ни одного концерта, где бы Зеко не был мастером на все руки, организатором, чье имя упоминали даже в Сараеве. И когда группа «Zabranjeno Pušenje»[2] выступала в Загребе, в клубе «Кулушич», он присутствовал

---

[1] Сленговое слово, обозначающее человека, который занимается организационными делами музыкальной группы во время гастролей, отвечая за погрузку и выгрузку аппаратуры, оборудование сцены и решая множество технических проблем *(англ.)*.

[2] «Курение запрещено» *(сербохорват.)* — основанная в 1978 г. рок-группа из Сараева.

на всех концертах и показал себя с лучшей стороны.

Новое назначение Славо Теофиловича совпало с окончанием его военной карьеры. Оно явилось следствием приготовлений к встрече в Мостаре товарища Тито. Славо принес из казармы большой югославский флаг:

— Ну-ка, прикрепите его на углу дома, да понадежней!

Зеко и Горан послушно повиновались. Отец задумал торжественно приветствовать маршала со своего балкона. Сказано — сделано. Три дня спустя принарядившееся семейство Теофилович в полном составе выстроилось по стойке смирно на балконе. Все шло согласно приказам капитана первого ранга. Из своего «мерседеса» с откидывающимся верхом Тито заметил перевернутый флаг и спросил Джемала Биедича:

— Это еще что? Бог мой, но ведь не в Россию же мы приехали?

Дисциплинарное наказание, последовавшее за неверно повешенный флаг, оказалось не единственным событием, которым закончилась не слишком славная военная карьера капитана. Прекратилась и общая жизнь семьи Теофилович. После того как Славо расстался с мундиром, его ссоры с Аидой приблизились к развязке. Квартира была поделена. Посреди гостиной торчали шкафы, перегородившие комнату на две части: в одной жила Аида с мальчиками, в другой — Славо. Стоило тому появиться, Аида принималась упрекать его. Поначалу спокойная, под конец она обычно вопила, что капитан первого ранга Славо Теофилович испортил ей жизнь. Только теперь она осознала, сколь печально ее существование, и взрывалась от ярости. Славо хранил невозмутимость. К жене и детям он не испытывал ничего, кроме равнодушия. Однажды отставной капитан вышел за сигаретами и не вернулся. Он уехал к своей любовнице в Скопье, где открыл малярную мастерскую, оказавшуюся весьма доходной.

Где бы Славо ни появлялся со своими рабочими, первым делом он задавал вопрос: «Кто вам сделал такое безобразие»? И, не дожидаясь ответа, продолжал: «Чтобы это стало хоть на что-то похоже, потребуется не меньше трех пемзований!»

Непроницаемое лицо и высокий слог придавали Славо убедительности.

Совсем как в 1976 году, когда, уставившись на неоновые буквы, Зеко отчаянно переживал из-за того, что снова не получил от отца подарка на день рождения, в этом военном 1993 году он сидел на берегу Савы. Было воскресенье, и он качал в коляске свою дочь Светлану. Эту прелестную белокурую малышку подарила ему Звездана, юристка из Белграда. Хорошенькая спокойная Звездана стоически терпела частые переезды Зеко. Он познакомился с ней во время первого концерта группы «Zabranjeno Pušenje» в Белграде. Накануне свадьбы *roadie* все же объявил будущей жене:

— Ты мне нравишься. Я хочу, чтобы ты стала моей женой. Только вот...

— Только вот... что?

— Если появится Миляна Гачич, ничего не выйдет...

— Нам это не грозит!

Звездана не слишком-то принимала Зеко всерьез. Впрочем, она догадывалась, что такой преданный и внимательный человек, как он, может поколебать ее покой решениями столь же внезапными, сколь и невероятными.

От едва заметного дыхания ветра менялась поверхность реки. И в знойные августовские вечера морщинки на водной глади напоминали о том, что ничто — ни камни крепости Калемегдан, ни даже весь Белград, вопреки видимости, — не обладает постоянством и прочностью. Но это не важно, раз на глубине, под поверхностью, залегают неразрушимые пласты.

«На самом деле крепость и город укоренены в ложе Савы, — размышлял Зеко, — и отражаются в реке, в точности как моя жизнь. Все колеблется на поверхности воды, рождается и исчезает, совсем как эта картина, которая растает, как только зайдет солнце. И тогда лишь отблески фонарей останутся на речной глади».

«Как часто то, что видят наши глаза, кажется привлекательным! — думал он. — Иначе было бы невозможно выжить. Ведь человек подпитывается не жестокой реальностью и непреложными правилами, но надеждой, что наступят изменения, на которые он уповает. Ладно. Только вот жизнь состоит не из иллюзий и надежд...»

С этой мыслью, толкая перед собой коляску с уснувшей дочкой, Зеко в то августовское утро 1993 года свернул на улицу Князя Михаила.

После распада Югославии его работа в качестве *roadie* постепенно уступила место организации политических и избирательных агитационных кампаний. Зеко сожалел об исчезновении рок-н-ролла. Возвращаясь из служебных поездок, он любил прогуляться по улице Князя Михаила, потому что мог увидеть там знакомые лица, людей из бывшей Югославии. Война не прекращалась, и Зеко рад был повстречать земляка из Мостара, Травника или Сараева. Если он не был лично знаком с ним, то приветливо кивал, в других случаях до бесконечности изливал душу собеседнику. На самом деле Зеко тосковал по ушедшим временам, хотя его прошлая жизнь и детство не вызывали у него ни малейшего сожаления. Но несмотря ни на что, он с упоением восстанавливал в памяти детали былого — особенно восьмидесятые годы, — когда Югославию охватили пришедшие с Запада идеи бунта и веры в лучший мир. А потом, после смерти Тито, — идея свободы.

В дальнем конце улицы Князя Михаила, громыхая, проехал трамвай, открыв вид на парк

Калемегдан. Зеко медленно катил коляску, в которой по-прежнему спала его дочь. Сквозь ветви деревьев сверкало солнце. И в этот момент Зеко услышал знакомый голос.

Сто бед.

Зеко обернулся и увидел тормозящий «BMW». Открылась дверца, и из автомобиля вышла прелестная элегантная женщина с непокорными волосами. Это была Миляна Гачич. Она сняла очки, и Зеко узнал ее большие глаза, ее взгляд ранимой женщины.

— Ты?

— Я.

— Откуда, черт возьми?

— Из Мюнхена. Я там живу и играю в шахматы.

Ошеломленный и изумленный этой встречей и видом Миляны, ее дорогими украшениями и золотыми часами, Зеко оставил коляску на пешеходном переходе и бросился к машине. Он страстно обнял Миляну. Так крепко, что та едва не задохнулась. В следующий миг радость встречи сменилась ужасом: коляска катилась вниз по улице Карагеоргия! Не в силах вымолвить ни слова, молодая женщина указывала на нее вытянутым пальцем. Зеко обернулся и бросился вслед. Миляна за ним. Кто объяснит, как в тот день удалось избежать катастрофы? В самом деле, вот уже второй раз эта женщина возникает в жизни Зеко как спасительница.

В воскресенье движение не слишком оживленное, скажете вы. Но в сотую долю секунды

Миляна подхватила девочку, выброшенную из ударившейся о стену коляски. Зеко разрыдался. Он не мог бы сказать, плачет ли он от облегчения, что удалось избежать несчастья, или от счастья, что нашел женщину своей жизни.

Они сели в «BMW» и, не говоря ни слова, направились в микрорайон Бежанийска Коса. Подъехав к дому, Зеко вынул из машины дочку, поцеловал, уложил в коляску, стремглав взлетел на четвертый этаж, позвонил в дверь и, перепрыгивая через три ступеньки, бросился вниз. Совсем как в Травнике, когда он звонил в двери соседских девчонок и, не дав им времени даже взяться за дверную ручку, чтобы открыть, кубарем скатывался по лестнице и растворялся в толпе, дрожа от страха быть узнанным.

КОРОЧЕ... САМ ЗНАЕШЬ...

Когда февральская стужа сковывала Сараевскую низину, я ходил в школу, сильно укутанный. Я брел по улицам, точно через сибирскую тундру. Я знал про русскую зиму из рассказов отца, Брацо Калема. Моя мать Азра Калем считала зиму зверством, зато отец не скрывал своей любви к холодной отдаленной точке на географической карте. От мороза мне приходилось дуть себе на руки, пока злобный зверь не превращал мое дыхание в лед. Я согревался, мысленно представляя себе ухватившегося за батарею парового отопления и сгорающего от желания увидеть Сибирь отца, чиновника Исполнительного веча Социалистической Республики Боснии и Герцеговины. Я же, скорей, испытывал желание превратиться в сливу, грушу, яблоко или хотя бы в вишню. И, точно спелая груша, упасть в траву, чтобы ничто больше не заставляло меня страдать, чтобы наконец освободиться от этого зимнего кошмара и вернуться к спокойной жизни, как только ее условия наладятся. Как будто это было возможно!

«Понижение температуры. Ртуть в термометре показывает минус тридцать три градуса. Без сомнения, мы с вами переживаем самую суровую зиму за последние шестьдесят лет! — Это был Вуко Зечевич, сотрудник Гидрометеорологического института Боснии и Герцеговины. — Вы слушали утренний прогноз погоды на радио Сараева... Дорогие слушатели, сейчас ровно семь часов пятнадцать минут, хорошего вам дня сегодня, третьего февраля тысяча девятьсот семьдесят первого года... Вы слушаете программу „Повсюду с дозором". Присоединяйтесь!»

С понижением температуры одеть меня становилось сложнее: слои множились, накладывались один на другой. Как мировые проблемы. По радио диктор говорил, что политическая ситуация наладится не скоро. Несмотря на нелюбовь к политике, Азра верила тому, что говорилось в газетах и по радио. А я вот не совсем понимал, о чем речь, и пытался заметить ей, что налаживаться и накладываться — не одно и то же, но она отмахивалась.

— Ситуация налаживается, а трудности накладываются, как груды картонных коробок! — не отступал я.

— Ишь ты! Скажи на милость... Мал еще, чтобы поучать!

Я умолкал. Тринадцать лет не тот возраст, чтобы спорить. Я был слишком мал!

Лицо отца исчезало под пеной для бритья. Глядя в зеркало, он намыливал щеки барсучьей кисточкой. На мой взгляд, напрасно. Он был в трусах и в майке, но не мерз. Мать встала первой и уже оделась. Она пила кофе и продолжала вчерашний спор:

— Нам на факультете сообщили о повышении зарплаты.

— Прекрасно!

— Значит, повысят всем! А вам?

— Исполнительное вече Социалистической Республики Боснии и Герцеговины — исключение.

— Вы тоже бюджетная организация. Вам тоже повысят.

— Нам — нет.

— Да! Просто тебе хочется скрыть от меня, сколько ты получаешь.

— Как это «скрыть от тебя»?..

— Тогда скажи! Ну, сколько ты получаешь?

— Достаточно.

— Вот видишь! Вдобавок ты еще надо мной издеваешься!

— Да вовсе нет!

Отец подошел и поцеловал мать, оставив у нее на щеке клочок пены. Всего-навсего поцелуй, и вот уже история про зарплату испарилась из головы Азры.

— Если бы твои скоты могли хотя бы объявить чрезвычайное положение!

— Мои скоты? Ты о ком, дорогая?

— О твоих начальниках в Исполнительном вече.

— Это значит, что и я тоже скотина?

— Конечно нет! Введение чрезвычайного положения не в твоей компетенции!

Отец прекратил бриться и повернул голову на триста шестьдесят градусов, что окончательно привело мою мать в доброе расположение духа.

— Перестань, идиот! Ты порежешься! Скажешь президенту, что термометр опустился ниже минус тридцати, ладно? И что дети замерзнут!

Республика Босния и Герцеговина не объявила чрезвычайного положения. И Азра не отступилась. Так что мне пришлось, помимо неизбежных пижамных штанов, надеть под брюки еще и толстые кальсоны! Наложился еще один слой! Или, как она говорила, *наклался*.

Я разглядывал себя в большое зеркало в коридоре: вертелся, смотрел и так и этак. Со всех сторон одно и то же. При виде своих кривых ног я с горечью подумал, что они никогда не выпрямятся. Интересно, есть ли какая-то связь между моими хилыми конечностями и мелкими нижними зубами? Я оскалился и скосил глаза на ноги.

— Этот холодный фронт наступает из Сибири. Именно он погубил Наполеона и Гитлера, когда они напали на русских, — сообщил отец, прежде чем облить щеки лосьоном «Питралон».

— Брацо, прошу тебя! Можно обойтись без политики хотя бы в прогнозе погоды? — возмутилась Азра, обуваясь.

— Я не говорю с тобой о политике, — возразил отец, завязывая галстук, — я всего лишь привожу факты.

— Факты? Какие еще факты?! — удивилась мать, надевая шубу.

— Официальная сводка Вуко Зечевича из Гидрометеорологического института Боснии и Герцеговины.

— Что-то я не расслышала, чтобы Вуко упоминал в своей сводке Наполеона и Гитлера!

Суровые климатические условия, точно рука, вытаскивающая из колодца ведро с водой, извлекли из моего сознания неожиданные вопросы. Некоторые из них, по-моему, восходили к чистейшей философии. По возвращении из школы меня мучили вопросы: кто я? что я? откуда пришел? куда иду?

Я поделился с матерью.

— Ты еще так мал, а уже предаешься фантазиям. Тебе это не по возрасту!

Отец терпеть не мог посредственности. Поняв, что для меня способность мыслить преобладает над красотой, он обрадовался:

— Знаменитый немецкий философ Иммануил Кант тоже над этим размышлял.

— Он тоже жил в жопе мира? — спросил я.

— Не знаю, но грубых слов он не произносил! Ты пока что слишком мал, вот станешь старше, поймешь.

Азре не больно-то нравилось, когда ее муж Брацо торчал в кухне. На самом деле она прямо-таки кипела от злости! Но старалась вести себя нарочито любезно, спокойно. Мать сняла с чугунной кастрюли «Pretis»[1] черную крышку, со свистом выпускающую через четыре отверстия пар под давлением. Движением, достойным Герберта фон Караяна, Брацо бросил в кастрюлю кусок мяса и овощи. Помимо отдыха, это было единственное, что Азра позволяла ему делать дома. В награду он заслужил право после сиесты заглянуть в кафе. Там он закажет спритц — коктейль, известный под кодовым названием «буль-буль», — литр белого вина и литр газировки! Накрывая на стол, Азра вполголоса проворчала:

— Все-таки было бы в сто раз проще, если бы я приготовила пюре с котлетами! Когда он закончит тут колдовать, то стирать со стекла брызги томатной пасты, отковыривать от телевизора ошметки лука и отдирать куски фарша от двери придется мне, прислуге!

— После сиесты я подумываю выйти в город попить кофе.

— Подумываешь? Да ты уже давно все решил! И пить ты будешь вовсе не кофе!

— А что?

---

[1] *«Pretis»* — металлообрабатывающая компания, выпускающая станки и военную технику. В качестве сопутствующих товаров производит металлическую посуду и предметы домашнего обихода.

— Спритц!

— С чего ты взяла? Да, может, я и не пойду...

— Пойдешь! Ты пойдешь, даже если, упаси нас Господь, разразится третья мировая война!

— Не бойся. В мире установилось равновесие сил. Холодная война!

— Но не у тебя!

— Ты преувеличиваешь! Азрàааа!

Эта неизменная реплика помогала ему забыться сном. Брацо погружался в него, протяжно произнося второй слог имени жены. Это долгое «раааа» всякий раз усыпляло его. Вот интересно, что было бы, если бы ее звали Дженифер? Ведь, проведя год в Англии на курсах усовершенствования, он вполне мог вернуться оттуда с невестой. А если бы его жену, мою потенциальную мать, звали Керт или Нимур? Такое легко могло бы случиться при том уважении, которое отец испытывал к неприсоединившимся странам! Он не мог бы использовать последний слог как колыбельную: как тут уснешь с этим «еееерт» или «муууур»? Подумать только, как мало воздуха пропускают губы, чтобы сказать «Керт»... Не говоря уж о «Нимур»! Такие имена следует произносить, когда просыпаешься! Вот откуда на Балканах возникло обязательное требование к мужчинам, даже если их это не слишком занимает, прежде чем жениться, тщательно обдумать все детали! Здесь у нас, вопреки утверждению западных ученых, нет ничего стихийного. Потому что, даже засыпая,

Брацо умел оставаться хозяином своей территории. По его мнению, первые секунды сна — самые приятные.

— В этот момент мозг заказывает сладковатую жидкость и направляет ее прямо на язык! — разглагольствовал он, будто окончил факультет биохимии, а не журналистики.

Брацо подремывал на диване. Я делал уроки и смотрел, как он дышит: его рубашка мерно поднималась и опадала. Неожиданно мое сознание пронзила мысль о том, что он может задохнуться и умереть. Я не сводил глаз с его груди. И вдруг рубаха замерла! Грудь его оставалась неподвижной. Никакого шевеления. Он тихонько хрипел, похоже было, что он задыхается!

«Дышит или не дышит? — размышлял я. — Дышит — не дышит, дышит — не дышит, дышит — не дышит. А вдруг отец испустил последний вздох?»

Несколько секунд я смотрел на него и ничего не ощущал.

Он казался мне мертвым, но я продолжал сидеть, не двигаясь с места. Потом резко вскочил со стула, прижался ухом к его груди и с облегчением услышал, как он выпустил из легких протяжный вздох, и его прерванное дыхание восстановилось.

Дышит!

Пробуждаясь, Брацо обычно бывал молчалив. Он с трудом возвращался из своих снов, и Азра избегала пускаться с ним в какие-нибудь разговоры.

Впрочем, она рискнула упомянуть о сильном морозе, но, по правде сказать, ей просто хотелось, чтобы он остался дома.

— Так ли тебе надо выйти? Возьми книгу, поговори с парнем!

— Ну-ка, — обратился ко мне отец, — дай руку. Чувствуешь... — Он приложил мою ладонь к своему сердцу. — Стоит ей только начать мне перечить, у меня тут же случается аритмия!

— Вот я и говорю: останься вечером дома хоть разок! Поговори с ребенком!

— Позавчера я не уходил.

— Еще бы! По телевизору показывали футбол!

Отец стоял на пороге, у меня глаза были на мокром месте. Спустя мгновение я уже плакал: я опять представил, что Брацо может умереть от удушья, и горе буквально затопило меня. Я смотрел на него и думал, что однажды он по-настоящему умрет. По моим щекам текли тихие слезы, и это не ускользнуло от его внимания. Причины моего расстройства отец не понимал; надевая пальто, он кивнул в мою сторону и сказал матери:

— Вот результат, Азра! Обязательно надо было довести ребенка? — И ушел.

Воскресенье. Температура слегка повысилась. По мнению Азры, снег не имеет права падать в выходные, когда люди отдыхают. Но снежинкам плевать на то, что она думает, поэтому из-за них в окне кухни теперь совсем не видно тополей. Деревья застыли, и это раздражает мою мать не меньше, чем отец, опять колдующий над тушенным по новому рецепту мясом с овощами!

Я смотрел на черную крышку «Pretis» и прислушивался к урчанию в желудке. Пар со свистом вырывался из четырех дырочек. С верхушек тополей на лестницу свалился снежный ком... Деревья тщетно пытались тянуться к небу, зима пригибала их. Вверху они были такие же сутулые, как слишком высокие для своего возраста братья Бамбуличи с нашей улицы. Тополя напоминали этих двоих баскетболистов, которые, согнувшись пополам после лыжных тренировок, тащились к Давору попить пивка.

Вдруг черная кнопка перестала выпускать пар. Обед был готов. Азра снимала крышку, когда Брацо ласково остановил ее. Он наклонился над открытой кастрюлей; я поступил так же, и теперь мы все трое разглядывали жаркое по-боснийски.

— Глянь-ка, — сказал отец, — мясо разорвано в клочья. Как душа.

— Как это мясо может быть разорвано, как душа?

— Я выражаюсь фигурально, господин философ.

— Нет, ну, правда, как это душа может разорваться?

— Под ударами вульгарности материализма.

— Тогда, значит, она не разрывается. Это ветер разносит ее, как клубы пыли весной.

— Ты еще слишком мал. Для тебя нет ничего проще, чем фантазировать. Но жизнь — это реальность. Вырастешь — поймешь!

Мне захотелось добавить в кастрюлю немножко перца! Брацо не ожидал этого, так как не умел противостоять вульгарному материализму. Он набросился на мясо. Меня дико бесило, что он так шумно жует:

— Чертова деревенщина! — сказал я.

— Началось! Сударь любит поскандалить, да еще чертыхается!

— А чего? Азра так говорит... Да, мам?.. Ты ведь так говоришь?

— Я так говорю? Конечно!

— Ты все время твердишь: «Чем я так прогневала Господа, что Он поселил меня в этой чертовой дыре»...

— Да чего уж там. — Брацо решил отмахнуться от этого разговора. — Опять заладила...

— Как это «заладила»? — возразила Азра, подстрекая его. — Были бы мы порядочными людьми, не жили бы здесь!

— А что бы ты сказала, если бы тебе пришлось жить в Сибири?

— В Сибири — не знаю, но здесь — это не жизнь!

— Да, черт возьми, чего тебе здесь не хватает?

— Здесь мы живем не по-людски, а потом и умрем не по-людски!

— А как «умереть по-людски»?

— А я тебе сейчас скажу! Это умереть там, где после твоих похорон людям не придется отскабливать грязь со своих ботинок!

— И что же делают там, в другом месте?

— Если ты умираешь там, где пахнет соснами, у людей под ногами скрипят иголки и трещат шишки.

Брацо нравилось слушать, как Азра излагает свой оригинальный взгляд на мир. Главным образом потому, что тогда между двумя кусками у него была возможность осознать глубину ее мысли. Что было совсем небезопасно — приходилось выбирать: говорить или есть. Что предпочесть: добрый кусок или слово? Считается, что слово, но мысль склонна к блужданию, а голод способен лишить слова! Хоть и говорят, что думать лучше на пустой желудок, к моему отцу это не относилось. Он редко испытывал голод, что никак не отражалось на ясности его высказываний. Он давно овладел искусством разговаривать с набитым ртом. И его спасало нежелание произносить банальности, перечислять все свои невзгоды. Так что он не сбивался в своих рассуждениях.

— То есть умереть на море — это преимущество?

— Преимущество — жить на море! И следовательно, там же умереть!

— Насколько мне известно, мертвому плевать, где он умер! — вставил я, вмешиваясь в разговор.

— Ты прав, Алекса! Плевать!

— Ну-ну, шли бы вы со своими придирками! Все равно, были бы мы сливками общества — жили бы на берегу моря!

«Новое понижение температуры. Столбик термометра показывает минус тридцать три градуса. 1971 год стал самым холодным; накрывающая нашу страну ледяная волна идет с Украины и продержится еще как минимум неделю...» — с такого сообщения радио Сараева начало свой дневной прогноз погоды.

— А эти скоты по-прежнему ничего не делают! — горячилась Азра, пока Брацо дремал на диване.

Я смотрел, как дышит отец, и размышлял о том, возможно ли, чтобы он сдулся? Как камера футбольного мяча!

«Дышит или не дышит? — думал я. — Дышит. Не дышит. Дышит. Не дышит...»

На сей раз я не чувствовал необходимости вскакивать со стула, даже при виде неподвижной отцовской груди.

Следующие нескольких секунд я вновь безучастно следил за его грудью. Мать мыла посуду, а у меня вдруг почему-то началось сильное сердцебиение.

— Приложи руку к моему сердцу, — попросил я Азру.

— Ничего страшного, ты молодой и здоровый. У тебя есть лыжи. Пойди покатайся.

Что-то заставило меня оторваться от раскаленной добела печки и выйти из дому на мороз. Как будто это я был влюблен в Сибирь, а не отец. Спускаться по улице Авдо Ябучице с ее изгибами, змеящимися до самого военного госпиталя, — полный бред. Азра говорила, что выданные профсоюзом лыжи — «последний писк моды». Я сильно вспотел, пока надевал ботинки и застегивал крепления, и теперь лез вверх по склону, к дому Лазаревичей. Я и не думал поступать как все и карабкаться по обледенелой лестнице. Но достаточно мне было услышать пронзительные крики и увидеть мальчишек с нашей улицы на санках, на коньках, на лыжах — кто как мог, чтобы в мгновение ока изменить свое решение. Я не любил оставаться в стороне.

На моих глазах двое мальчишек, самых младших, на полной скорости скатились с горы и въехали на лестницу. От страха или от удовольствия они вопили:

— Разойдииииись! Поберегииииись!

Им удалось избежать столкновения и обогнать мчащихся перед ними санников и лыжников.

Сердце мое готово было выпрыгнуть из груди! Разве я могу сдрейфить? Я, как Жан-Клод Килли[1], придал своему телу обтекаемую форму

---

[1] *Жан-Клод Килли* — французский горнолыжник, олимпийский чемпион 1968 г.

и ринулся вниз по лестнице. Я видел, как прямо на меня несется вход в военный госпиталь! Вместо того чтобы сделать резкий поворот и затормозить, мои ноги продолжали движение вперед. Я размахивал руками во все стороны. Улица Горуша круто шла вниз, и вахтенному солдату пришлось открыть ворота госпиталя, чтобы я не врезался в них. Я пронесся мимо стража, словно пушечное ядро.

— Потише, парень! Так ты угодишь прямиком в канаву!

Кухня военного госпиталя располагалась на первом этаже. Я налетел на разгружавшего картофель повара и втолкнул его в подвальное окно, так что бедолага оказался в корыте с фасолью.

Недо, мой двоюродный брат с материнской стороны, плохо слышал и поэтому разговаривал жутко громко. Он работал шофером, а в свободное время увлекался скульптурой. У него были здоровенные ручищи, он любил женщин, и поговаривали, будто, проведя в его объятиях четверть часа, злополучные красавицы имели жалкий вид и напоминали выжатый лимон. Все свои высказывания он обычно начинал или оканчивал одинаково: «Короче... сам знаешь...»

— Только бабам не вздумай так сказать, они примут тебя за слабака!

— Я еще мал, мне до них дела нет!

— В жизни мужика только это и важно!

Брацо воспользовался тем, что Азра моет посуду, и шепнул Недо на ухо:

— Он слишком задумчив для своего возраста. Нашел бы ты ему девчонку!

— Скажи-ка, Алекса, ты дрочить уже пробовал?

— Чего?

Я украдкой бросил взгляд на мать. Звон посуды и шум льющейся из крана воды мешали ей слышать наш разговор.

«Чтобы потом меня звали дрочилой?» — подумал я.

— Пора бы уже начать!

— Нет! Я еще слишком мал!

Недо отвел меня в сторонку:

— Набираешь полную ванну горячей воды, запираешься, залезаешь в воду... и шуруй правой!

— Но я левша! — яростно воспротивился я.

— Ну... короче... сам знаешь...

Красный от злости, разъярившись на Недо, я на всех парах выскочил на мороз. У меня не было желания возвращаться, и я решил ждать, пока Недо не уберется на принадлежащем строительной фирме «Враница» грузовике с красными номерными знаками.

Той же ночью, лежа в постели, я увидел, как на ковре появилась тень открывающейся двери. Подняв глаза, я разглядел отцовский силуэт. За его спиной, в коридоре, горел свет. Он подошел к моей постели и бросил быстрый взгляд в сторону матери. Она спала. Из-под стеганого одеяла торчали одни бигуди.

— Мм, — промычал он мне прямо в ухо. — А все ее ревматизм... Потому-то она так расхваливает жизнь у моря. Но мы тоже не лыком шиты! Мы югославы! А ты знаешь, сколько нас по всему миру?

— Да, знаю!

— Хочешь, я тебе скажу?

— Не сейчас! Завтра!

Он наклонился слишком близко ко мне. Алкогольные пары вызывали у меня тошноту, а когда он напивался, его тянуло порассуждать о нашей истории; слушая, как он перечисляет наших соотечественников, я и сам опьянел!

Уснул я в конце зимы, а проснулся весной.

«Температура повышается... Уровень воды в югославских реках вызывает озабоченность...» — сообщили в сводке погоды от Гидрометеорологического института. Далее следовало развернутое изложение подробностей и череда цифр, в которых я ничего не смыслил.

Пришла весна, опровергнув опасения Азры, непоколебимо убежденной в том, что ледниковый период надолго сковал Сараево! Приход весны можно было заметить по робко зеленеющим верхушкам деревьев перед нашим домом. Желание стать сливой, грушей и даже вишней покинуло меня. За окном спокойно поджидали перемен тополя. Дул слабый ветер, и доносящийся до моих ушей гул напоминал звук закипающей на плите воды для кофе. Теперь, когда девочки поднимались по лестнице в мини-юбках, во мне постепенно пробуждалась весна. Красавицы отличались друг от друга не только длиной, цветом и покроем юбок, но и скоростью, с которой они преодолевали подъем. Скачущие вверх через несколько ступенек еще больше обнажали свои ножки, зато не вызывали никаких эмоций, когда спускались. Движение вниз придает человеческому телу какую-то отталкивающую черту.

Я сходил в дровяной сарай за поленьями для котла. Потом повернул кран, наполнил ванну очень горячей водой. И последовал совету Недо.

— И что будет, если наполнить ванну?

— Ничего. Короче... сам узнаешь!

Вершины тополей посверкивали в лучах вечернего солнца, но такая красота длилась несколько секунд. Благодаря искрам, высеченным из моей головы и тела девичьими коленками, ртуть в термометре заметно подскочила.

Смена времен года, а особенно приход лета существенно повлияли на психологический климат семьи Калем. Атмосфера была жизнерадостной, и, хотя на весеннем солнце отчетливей стали видны бороздящие лоб морщины, насупленные лица исчезли. К моему величайшему удовольствию. Солнце способствовало птичьему щебету и человеческой болтовне. Азра уже вовсю готовилась к намеченному на август путешествию.

— Ах, боже мой... если бы я могла уже быть там! — вздыхала она.

— Что тебя держит?

— Может, на этот раз поедем вместе?

— Ты прекрасно знаешь, что из-за аритмии врач запрещает мне бывать на сильной жаре.

— Тогда поеду с Алексой.

— С удовольствием провожу вас до Дубровника. Ах, до чего же славно после хорошего купания полакомиться мороженым в кафе!

— И охота тебе врать?

— Врать?

— Ты никогда не любил мороженое!

— Я?.. Никогда не любил мороженое? Я ел его в Праге, на конгрессе Третьего интернационала, если хочешь знать! К тому же в разгар зимы! А тебе, милочка моя, даже невдомек, что его и зимой можно есть!

На самом деле Брацо не терпелось увидеть, что мы уезжаем. И тогда уж он от души сможет предаться операции «буль-буль»!

— На-ка, тут немного карманных денег для Алексы. Отложил из тринадцатой зарплаты...

— Ты и впрямь принимаешь меня за идиотку! Заместитель министра зарабатывает чертову уйму денег! Почему бы в один прекрасный день не сказать мне честно, сколько ты получаешь?

— Ну, знаешь, ты слишком многого от меня хочешь!

И они прекратили разговор; еще слово — и случился бы скандал. И все же по тому, как Азра смотрела на Брацо, было ясно, что она не отказалась от мысли проникнуть однажды в тайну его чиновничьего оклада.

Если когда-нибудь загорание внесут в список олимпийских видов спорта, Азра получит золотую медаль. Едва приехав в Дубровник и еще даже не распаковав чемоданы, она прежде всего купила у нашего хозяина оливковое масло. Сначала она с ног до головы вымазала меня, а потом насквозь пропитала маслом свое тело. Стоя спиной к старой городской стене, мы были похожи на двух приговоренных в ожидании расстрельной команды.

— Солнце лучше впитывается стоя, так витамин D проникает до костей, — пояснила мать.

— То есть лучше умереть стоя?

— Забудь на время о смерти, здесь не место.

— Но ведь ты же сама говорила, что лучше умереть на море, а не в Сараеве!

— Нет, жить на море!

— Но это же означает, что ты бы хотела и умереть здесь?

— Оставим такие разговоры для нашей чертовой дыры! Посмотри-ка лучше туда... — Она указала на огненный шар, исчезающий за морем.

Мать улеглась на округлый камень и, очевидно, наслаждалась зноем. Брацо был прав. Философия Азры брала начало в ее кровяных тельцах, где развивался ревматизм. Доказательством тому были мои ступни, сгорающие на раскаленных камнях.

— Когда солнце встает или садится, следует смотреть ему в глаза.

Мне нравилось подбрасывать камешки высоко в небо. Я ждал, когда они упадут, когда сделают «плюх», ударившись о поверхность воды. Для меня это было вроде момента истины. Если кто-то излагал важную истину, она делала «плюх». Война, которую вели между собой отец с матерью за то, где именно жить, как говорила Азра, и где именно умереть, не делала «плюх». Получалось два раза: «плюх-плюх». Этим двум «плюхам» следовало слиться, стать одним-единственным, который устранил бы все сложности.

Когда мы вернулись в Сараево, Брацо шепотом признался мне:

— Не говори матери, но у меня был инфаркт.

— Сердце?

— Нелегкая жизнь, сложные ситуации... Только прошу тебя: матери ни слова!

— Договорились.

И я снова пошел в школу. Вскоре оказалось, что узнать, что такое инфаркт, очень легко. Одноклассник сказал:

— Инфракт — это ерунда. У моего деда их было семь!

Сложнее всего было хранить тайну, когда я принимал ванну. Меня дико раздражало видеть, как с таким трудом добытый загар запросто смывается водой. Моя козырная карта, которую я предполагал выложить на уроках физкультуры, позорно ускользала в сливное отверстие. Теперь под спортивной майкой останутся только бледные плечи. Не быть мне похожим на эфиопского марафонца Абебе Бикила.

— Как правильно: инфаркт или инфракт? — спросил я у матери.

— Инфаркт.

— А мальчик из класса говорит «инфракт».

— Инфаркт. Это ты к чему?

— Ни к чему. Отец одноклассника схватил инфракт.

— Инфаркт!

— «Инфаркт» или «инфракт», но если я буду столько намываться в ванне, вообще никто не поверит, что я ездил на море.

— Ладно, некоторое время можешь принимать душ. Но только после физкультуры не отлынивай!

— Хорошо.

«Незначительное понижение температуры... Однако из Северной Атлантики к нам приближается фронт, который станет источником нестабильности... На этой неделе будет преобладать неустойчивая погода, начиная со следующей недели солнечно...»

Вуко Зечевич славился точностью прогнозов.

Было воскресенье, и тополь как будто знал, что сегодня выходной. Против обыкновения он не сгибался от рукопашных схваток, сопровождающих смену времен года, когда осень силится обосноваться перед окном нашей кухни. По лестнице реже поднимались девушки и женщины в мини-юбках. Теперь они надели пальто, и смотреть в окно стало неинтересно. Мне было некогда наблюдать за изменениями в природе. Вот фигня, какие-то там тополя! Сгибаясь еще сильнее, они принимали причудливые формы, но мне-то что за дело? Я зажмуривался, и перед моим мысленным взором возникали коленки, которые в начале весны мелькали за окном.

— Ты устроишь потоп! — слышалось из кухни.

— Короче... сам знаешь!

Одеваясь, Азра смотрела в окно:

— Теперь все не так, как прежде... Никакой весны, а в октябре лето. Если так будет продолжаться, у нас останется всего два времени года!

— Такая же тенденция и в обществе, — сразу подхватил отец. — Скоро оно разделится только на богатых и бедных...

— Ты преувеличиваешь!

— Поживем — увидим...

— Знаешь что?

— Нет. Что?

— Если я вдруг завтра умру, то так и не узнаю, сколько ты получаешь.

— Умереть рано или поздно придется. А вот узнать, сколько я получаю, — никогда!

— Какая наглость!

Я выглянул в кухонное окно. По небу неслись тучи, начался дождь. Вуко Зечевич сдержал обещание. Потом ветер разогнал тучи и дождь прекратился. Днем и ночью с громким шелестом падали листья. И выглянуло солнце.

Хватило одного солнечного осеннего дня, чтобы все вокруг хором объявили, что пришло бабье лето. Один-единственный солнечный день, а наша чертова дыра уже видела себя морским курортом.

— Было бы у нас здесь Адриатическое море, а не гора Требевич и река Миляцка, стоило бы здесь жить. — Мать в тысячный раз затянула старую песню.

Хотя она любила солнце и историю, невероятно, но факт: в октябре в Сараеве не бывало дождей, и каждый год в одно и то же время Азра объявляла аврал. Цель — освежить стены.

— До чего мне нравится, когда стены так и сверкают белизной!

Брацо проклинал эти сезоны побелки. Он не мог отказаться от привычки вздремнуть в кухне. Среди моря беспорядочно раскиданных во время работы вещей, словно островок, торчал накрытый пленкой диван, на который он укладывался. Отец готовился к сиесте, прежде чем, само собой, приступить к операции «буль-буль»!

Обычно он засыпал во время финала. В этот раз белградский «Партизан» сражался с «Гайдуком» из Сплита за Кубок маршала Тито.

— Мир делится не только на черное и белое, Азраааа, — вздохнул он, засыпая.

Азра и Недо продолжали трудиться. Они сдвинули Брацо с его диваном в другую часть комнаты, уже побеленную. Они спешили побелить, пока глава семьи спит. Во время короткой паузы Азра успела даже собрать уезжающему в командировку Брацо чемодан. Ей хотелось, чтобы он поскорее убрался: тогда они до полуночи успеют закончить побелку.

Когда Брацо проснулся, я почувствовал облегчение. И мать тоже. Она закурила. Горделиво прислонившись к дверному косяку, она, точно тигрица, жаждущая аплодисментов после удачного циркового номера, несомненно, ждала похвалы мужа. Комната блистала! Отец направился к холодильнику, чтобы взять оттуда кринку холодного молока, сделал большой глоток и только потом воскликнул:

— Вот это да! До чего же хорошо!

Едва Брацо Калем спустился по лестнице, завел свой «Фольксваген-1300с» и двинулся вниз по улице Авдо Ябучице, как его жена Азра Калем замерла на месте. Она уцепилась за диван и стала похожа на заставку кино, когда в конце фильма идут титры. С искаженным болью лицом, она всей тяжестью рухнула на руки Недо:

— Недо... придвинь диван...

Держась за живот, мать присела на стул.

— Может, позвать Брацо? — Я бросился к двери.

— Нет-нет. Сейчас пройдет...

Азра лежала в спальне. Мы с Недо по очереди подходили к двери и из коридора поглядывали на нее. В девять часов вечера она повернулась к нам.

— Позвони доктору Липе, — попросила она. — Его номер у меня в сумочке.

Я послушался. И тут же услышал голос доктора, спрашивающего, как мои дела.

— Я-то хорошо, а вот Азра жалуется, что у нее болит живот.

— Вверху живота! — крикнула Азра. — Я не могу... выпрямиться!

— Доктор спрашивает, больно ли тебе дотрагиваться до живота.

— Больно до слез! Даже если не трогать!

— Тебя тошнит?

— Уже три дня!

— Бедная мамочка, доктор говорит, что у тебя воспаление желчного пузыря! Он позвонит в неотложку.

— Только бы ничего серьезного!

К нашему подъезду подкатило такси «форд-таунус». Водитель помог нам устроить Азру на заднем сиденье. Когда автомобиль тронулся с места, Азра закричала от боли, а шофер разрыдался. Он обливался слезами, как кающаяся Магдалина.

— Соседка, не умирай! Умоляю тебя...

— Ты чего мелешь? — вмешался Недо.

— Что я мелю? Вчера у меня в машине пассажир умер по дороге в больницу!

Я снял ботинок, чтобы врезать ему как следует по кумполу, но Азра перехватила мою руку. Она решила не умирать. Она смеялась и плакала: все сразу.

— Не беспокойся, сосед! Я пока что не готова отбыть в мир иной. А ты смотри у меня, не то поедешь на трамвае!

— Как это «не беспокойся»? Ты себя в зеркале видела?

— Прекрати нести чушь! — заорал я. — Прекрати!

— Прекрати! Кто, я?.. — всхлипнул шофер.

— Ладно, — произнес Недо. — Паркуйся.

— Как это «паркуйся»? Она же умрет!

— Паркуйся, кому говорят!

Водитель обернулся. Испуганный тоном Недо, он резко затормозил перед кинотеатром «Радник».

— Выходи!

— Тише-тише, Недо, поосторожней, — простонала Азра. — Прошу тебя...

— Поосторожней?!

Недо пинками и затрещинами вытолкал водителя из машины, и тот свалился на асфальт. Предвидя, что сейчас схлопочет еще, он торопливо стянул с ноги белый носок и замахал им, словно белым флагом.

— Хватит, довольно, ради всего святого, — умолял он, пытаясь увернуться от града ударов.

— Эй, кузен, — окликнул я Недо. — Давай отвезем Азру в больницу, а этого ты потом прикончишь.

Они ничего не слышали. Избиение продолжалось до тех пор, пока шофер не вытащил из багажника разводной ключ и не стал размахивать им, чтобы отогнать Недо. Азра придвинулась к дверце машины и обняла меня:

— Посади меня к себе на плечи...

Я повиновался. Когда я взвалил ее, как мешок, к себе на спину, самую крепкую часть моего тела, она взвыла от боли.

На заправке полицейский с интересом наблюдал за развернувшимся прямо посреди улицы боем и, не двигаясь с места, прихлебывал кофе. Обеспокоенный заправщик указывал ему на дерущихся, но тот оставался безучастным:

— Ты что, хочешь, чтобы я поперхнулся кофе? Когда они устанут, мы их посадим за решетку!

У меня на спине тихонько постанывала Азра.

«Неплохо иметь такую сильную спину, которая может выдержать вес матери, — размышлял я, проходя мимо медицинского факультета. — Пусть только попробуют теперь сказать, что я еще слишком мал!»

В регистратуре кошевской больницы было немноголюдно. Притихнув, мать вытянулась на носилках. Какая-то медсестра повезла ее в хирургию. От укола Азра уснула, а похожий на Фернанделя доктор Липа пришел, чтобы ободрить меня:

— Ну вот, теперь можешь спокойненько возвращаться домой. Не волнуйся и ни слова отцу. Ты же знаешь, у него был инфаркт.

— Да, знаю. Все понятно.

— Лучше бы ничего ему не говорить. Завтра проведем все необходимые обследования. И если надо, прооперируем.

Мне не больно-то хотелось оставаться дома одному: для этого я был еще слишком мал. Но теперь все внезапно изменилось. После побелки вещи лежали где попало. Ну и ладно, подождут возвращения Азры! Только она умеет наводить порядок. Свернувшись калачиком под одеялом, став меньше макового зернышка, я, кажется, хотел бы вновь вернуться в материнское чрево. Я волновался: как же мне проснуться завтра утром? Я сокрушался: никто не даст мне поспать лишних десять-пятнадцать минут...

Я зря беспокоился.

Открыв глаза, я заметил первый луч солнца. На блюдце прыгал будильник. В комнате было холодновато, и я справился со всеми утренними процедурами быстрее, чем обычно.

На пороге возник небритый отец. Он втащил в комнату чемодан и поцеловал меня в затылок, чтобы избавить от запаха спиртного.

— Привет, малец. Где мама?

— Мама там... Ну, я хотел сказать, уехала...

— Уехала? Как это она может одновременно быть там и уехать?

— Она в Песью-Ноу, в Венгрии[1], на курорте.

— Вот так новость!

— Нет, не новость. Она уже давно хотела. И обсуждала с тетей.

— Ну, надо — значит надо. Пусть лечит свой ревматизм. Ты в школу идешь?

— К сожалению, да...

— На! Это книжка про растения. Они стонут и страдают, когда мы их вырываем! Я и не знал.

— А они ссорятся?

— Тут об этом не говорится. После уроков угощу тебя пирожными.

— У Решо или в «Оломане»?

— На твой выбор!

Внизу, в подъезде, поджидала Нада, наша соседка. Она подмигнула мне:

— Не говори отцу, что мама в больнице.

— Не волнуйся. Я знаю.

В школе я ничего не видел и никого не слышал. Я разглядывал книжку про растения. Это правда: они стонут, когда их срывают или срезают. Но я крепче, чем они. С тех пор как Азра оказалась в больнице, никакого нытья, никаких мечтаний о том, чтобы стать чем-то другим.

---

[1] *Песью-Ноу* (или Улбеч) — курорт в Румынии, герой ошибся, поместив его в Венгрии.

Особенно какой-нибудь дурацкой сливой, грушей или вообще — вишней! Каких только глупостей не говорят люди, пока малы!

Теперь надо придумывать всякие байки, чтобы отец поверил, что мать продолжает процедуры в Венгрии. К счастью, она довольно часто говорила о термальных водах.

Наша классная — Славица Ремац — отпустила меня с последнего урока, чтобы я успел в больницу, пока не окончилось время посещений.

— Меня тоже оперировали по поводу желчного пузыря. Скажешь маме, что это сущие пустяки. Только теперь ей категорически запрещено есть яичный желток!

В больнице воняло хлоркой и девяностопроцентным спиртом. Через стекло в двери палаты я смотрел на Азру. Она спала. Лоб и щеки у нее были желтого цвета, как будто она намазала лицо яичным желтком, чтобы оно лучше загорело. Когда я вошел, она открыла глаза и протянула мне руку из-под одеяла. А потом с улыбкой вытащила из-под матраса здоровенный камень, который из нее достали.

— Не бойся, сорняк не извести! — успокоила она меня, заметив мое волнение.

Мать с гордостью вертела камень в пальцах.

— Посмотри, Азра, сколько тут слоев наложилось!

— Ты хочешь сказать «наклалось»! — с улыбкой перебила она меня.

— Да нет, наложилось! Смотри!

— Отец вернулся?

— Да. Позавчера.

Я бы не мог объяснить, зачем соврал, почему сказал, что он приехал раньше. Новая ложь возникала из прежней, точно сигарета, зажженная от окурка предыдущей.

— Он, конечно, каждый вечер уходит из дома?

— Нет-нет. Вовсе нет. И почти никакого «буль-буль».

— Не может быть...

— Я хочу сказать... Он приходит с работы, готовит нам поесть и спит.

— И что, он убирает?

— Как договоримся.

— Что это значит?

— Я, например, беру на себя посуду.

— Ну, это уж слишком! Когда меня нет, он никуда не ходит... Послушай, сделай кое-что для меня...

— Конечно.

— У него как минимум пять тайников, где он прячет свое жалованье. Иногда он сует конверт под ящик своей прикроватной тумбочки, иногда кладет его на водогрей. Один раз он даже положил его в холодильник, а в другой — зарыл в свои носки. Хуже всего, что он без конца меняет место. Надо бы, чтобы ты покопался...

Она поняла, что я не имею ни малейшего желания производить раскопки...

— Но ведь он же отдает тебе часть жалованья? — спросил я.

— Да. Но мне интересно, сколько он оставляет себе.

— Почему тебя это волнует, если он дает вполне достаточно?

— Потому что я с трудом свожу концы с концами. А он пишет сумму на конверте.

— Он страшно разозлится!

Я знал, что должен соблюдать нейтралитет между матерью и отцом. Я вдруг почувствовал безудержное желание рассмеяться. Разумеется, от радости, что в конечном счете мы все трое живы. Не в добром здравии, но живы. Я хихикал, не в силах остановиться, а Азра не могла понять, что меня так развеселило.

— Все, уходи, глупый осел! Ты надо мной смеешься!

Чтобы успокоить мать, я стиснул ее в объятиях. Она умолкла, положив голову мне на плечо. Так мы молча лежали на кровати, пока не пришла старшая сестра и не сказала, что время посещения закончилось.

В конце коридора меня остановил доктор Липа:

— Мы ожидаем результата гистологии.

— Это что?

— Я хочу исключить худшее... Рак!

Я думаю, скорость, с которой я пробежал обратный путь от больницы, соответствовала силе моего желания оказаться как можно дальше от слова «рак». Я был еще так мал! Убежать от слов и их смысла невозможно! Особенно опасных и угрожающих. Я выскочил за ограду больницы, бегом спустился по аллее вдоль Управления гражданского строительства, где в бухгалтерии работала мать. Рак. Это слово неумолчно звучало у меня в мозгу. Брацо, как мы и договаривались, ждал меня на углу, возле газетного киоска. Он уже сидел за столиком.

— Как в школе?

— Все хорошо!

— Отлично. А теперь ешь сколько захочешь!

Он поднялся из-за стола и вернулся с тарелкой: четыре кремпиты, две тулумбы, две шампиты и две бузы[1]. Хозяин кафе Решо не переносил табачного дыма, поэтому Брацо курил на улице, глядя на меня через стекло. Когда я приступил к последней кремпите, у меня из глаз полились слезы и закапали на хрустящую корочку пирожного. Увидев, что я плачу, Брацо вернулся за стол. Что делать, да, я был еще мал... Я плакал впервые после госпитализации Азры. Слезы капали на кремпиту, что неожиданно показалось мне очень забавным. Брацо посмотрел на меня и пошел платить.

— Почему ты плачешь?

— У матери одноклассника рак!

— Краб? Упаси нас господь!

---

[1] Турецкие сладости, распространенные на Балканах, и напиток из кукурузной или пшеничной муки.

— Вообще-то, врачи точно не знают, но у моего приятеля тяжело на сердце, и мне его очень жалко.

— Еще бы. Ну ладно, на сегодня все.

Он вытер мне слезы своим галстуком, и это меня рассмешило.

— Ну вот, я больше не плачу... А ты...

— Что я?

— Обещай: сегодня вечером никакого «буль-буль»!

— Да брось ты! Я просто пройдусь пешком, подышу воздухом!

— Можно с тобой?

— Нет. А как же уроки?

Зачем ему каждый вечер уходить из дома, вместо того чтобы остаться с нами? «Буль-буль» интересовал его больше, чем я. Тут я прекрасно понимал Азру. Я высвободился из его объятий. Но не успел сделать и двух шагов, как его рука легла мне на плечо.

— Ты нас не любишь!

— А ты дерзишь, сынок!

— Тебе так кажется, — процедил я сквозь зубы и рванул по Сутьеской улице к улице Ключка.

Я прям бесился от злости и решил во что бы то ни стало прийти домой без него. Он изо всех сил старался догнать меня. На середине лестницы он ухватил меня за рукав:

— Стой, я больше не могу...

Его как будто подключили к чужим легким: из груди вырывались скрип и шипение. Понимая, как мне важно, чтобы он не оставлял меня и чтобы мы вернулись вместе, он взял меня на руки.

Отец открыл дверь, и нам стало не по себе от вида квартиры. Свежепобеленной, но пустой! Единственный положительный момент — попрежнему стоящие в беспорядке вещи были накрыты пленкой. На руках у отца меня совсем разморило. Пока Брацо снимал с меня ботинки, я впал в оцепенение, глаза закрылись, и я уснул.

Вскоре после полуночи меня вдруг разбудил какой-то шум, как будто стекла входной двери разлетелись вдребезги. Тут же послышалось громкое ругательство. В трельяже, стоявшем на ночном столике, я видел, как, пытаясь войти в комнату, спотыкается в неустойчивом равновесии на неверных ногах отец. Его рассудок наотрез отказывался управлять тяжелым пузатым телом. Слишком большое количество выпитого потянуло его назад, и он закончил свой бег в кухне, рухнув на диван.

— Чертова побелка...

Он говорил медленно, как тот русский, что объявлял о взятии Берлина советскими войсками. Губы пытались произносить слова со скоростью, которую не позволял ему мозг.

— Почему... она не здесь... Азра... какой Песью...

Как полагается вести себя с пьяным в стельку отцом? Он одновременно силился выбраться из пальто, включить горелку и разогреть себе ужин. По трезвости он обладал способностью разговаривать с набитым ртом, а сейчас путался в мыслях и ему не удавалось ни раздеться, ни зажечь огонь. Наконец он справился, но, с руками, стянутыми спущенным пальто, свалил на пол все, что стояло на плите. Брацо распрямился, потом подобрал тарелки, сгреб назад в кастрюлю выпавшую из нее тушеную капусту — и все это с совершенно невинным видом, точно ребенок: «А что? Я ничего не сделал...»

В приоткрытую дверь я наблюдал никогда прежде не виданную картину: стоя на коленях в полуспущенных брюках, опершись на диван, отец спал... Еда, которую ему наконец удалось поставить на конфорку, начала дымиться. Воняло горелой капустой. Поднять Брацо и уложить его на диван оказалось делом несложным, но, когда я снимал с него рубашку и брюки, я чувствовал себя так, будто вкалываю на молодежной стройке. Отец булькал, жестикулировал, отбивался. Мне показалось, он неважно себя чувствует. Усевшись на стул, я принялся следить за его грудью. Она неравномерно поднималась и опускалась...

Дышит или не дышит?.. Дышит или не дышит?

Меня клонило в сон. Голова свалилась на грудь. Вскоре кто-то постучал в дверь.

— Кто там?

— Это я, Недо. Открывай, Алекса... Как тетя?

— Доктор сказал, что операция прошла хорошо. Теперь ждут результатов анализов, тогда они смогут сказать, сколько ей еще оставаться в больнице. Знаешь, я попробовал эту штуку в горячей воде...

— Ну?..

Я прошептал ему в самое ухо:

— Короче... такие ощущения... сам знаешь.

Мы умолкли, потому что вдруг как-то странно забулькал Брацо. Потом наступила тишина. Недо бросился в кухню:

— Смотри, как пожелтел! Воды! Быстро!

Из коридора я заметил лежащего на диване отца: он задыхался, хрипел и не видел меня.

— Он сейчас помрет, Алекса! Звони в неотложку!

— Только этого не хватало... Но нет, Брацо, ты не можешь так со мной поступить! — сказал я.

Разрезав лимон на две части, Недо массировал его половинками отцовскую грудь. Перепоручив эту процедуру мне, он кинулся к телефону. Я не мог поверить: неужели мать и отец покинут дом в одни и те же выходные! Со своими диаметрально противоположными взглядами на значение географии и влияние среды на состояние человека! Я что есть мочи давил на грудь Брацо. Страх придавал моим рукам дополнительную силу, и я давил все ожесточеннее.

— Потише, Алекса. Поосторожней, сынок.

Недо позвонил в неотложку на Бразовой улице, там никто не ответил. Я отвел руки и спросил отца, как он. Брацо с явным беспокойством посмотрел на меня. Тревога гораздо отчетливей читается в глазах взрослых! Я боялся, как бы отец не отдал богу душу у нас на руках. Не выпуская телефонной трубки, Недо показывал мне, как следует резко надавливать на грудь, а потом таким же коротким движением отпускать. Наконец ему удалось дозвониться до службы сестринского ухода на Бразовой улице. Брацо терял сознание, а вместе с ним надежду остаться в живых. Его взгляд затуманился. Парализованный страхом, я не сводил с него глаз. Отец начинал отходить. Появился Недо.

— Смотри сюда! Резко надавливаешь и отпускаешь! Много раз! Живо, давай! — проинструктировал он меня.

Я обеими руками мял отца. Давил ему на грудь и один, и два, и три раза. Третий толчок оказался особенно сильным, он открыл глаза. Отец снова дышал и с благодарностью смотрел на меня. У меня дрожали руки, я не мог бы объяснить, что произошло. Когда в коридоре появился доктор с двумя санитарами, Недо обнял меня. От радости у меня сердце выпрыгивало из груди. Но никаких слез... Как такое могло случиться? От нечувствительности. Вот почему я не плакал!

— Все будет хорошо, — заверил нас доктор, пока санитары укладывали отца на носилки.

Едва Брацо погрузили в машину «скорой помощи», завыла сирена. Этот момент показался мне самым трудным.

Глаза сами собой закрывались от усталости. Разбудил меня Недо. Он обнял меня со словами:

— Операция матери прошла успешно! Отец в реанимации! Короче... сам знаешь!

— Он выкарабкается?

— Он уже выкарабкался!

— Значит, он не умрет?

Недо так стиснул меня своими ручищами шофера грузовика, что на какое-то мгновение я задохнулся. Но мне все еще было грустно...

— Но ему придется следить за собой! И в ближайшие дни — никаких посещений, его нельзя волновать!

В Сараеве наступила серая осень, а я остался совсем один. И не знал, по-прежнему ли я так мал. Никаких следов света, который звал бы тополя соревноваться, кто быстрее и дальше пробежит вверх, к небу. Конец смятению при виде девушек и женщин, в зависимости от своего роста и ширины шага показывающих или нет ноги во всю их длину.

Никаких проблем с пробуждением. Через окно я заметил Недо, размахивающего судками с надписью «ГП Враница».

— Нам они больше не нужны, — сказал он, входя. — Мы перешли на полевую кухню. Твоя забота — не перевернуть их!

Недо снова стиснул меня своими ручищами — да так сильно, что я бы предпочел никогда больше не встречаться с ним, — и ушел, прокричав на прощание с лестницы:

— Короче... сам знаешь!

В час десять прозвенел школьный звонок. Уроки закончились.

«Нет, конечно, это не рак!» — уговаривал я себя, а в голову мне почему-то лезли коленки, летом мелькавшие перед моими глазами.

На пороге нашего дома на бетонной ступеньке сидел какой-то худой и лысый мужчина с крашеными бровями и курил «Мораву» без фильтра.

Соседка Нада принесла ему табуретку, он встал со ступеньки и пересел.

— Бедняга, вы замерзнете! — посочувствовала незнакомцу Нада. Завидев меня, она обрадовалась. — Жалованье твоего отца, — объяснила она. — Я не взяла, у меня нет права подписи...

— У меня тоже!

— Не говори глупости, малыш! — сказал мужчина. — Не уходить же мне с такой суммой. Ты хочешь, чтобы меня обокрали? Ну-ка, поставь закорючку! Вот здесь... И я ухожу!

— А деньги? Что мне с ними делать? Зарплата чиновника — это вам не фунт изюма...

— Теперь все тратят!

Он протянул мне конверт, какую-то бумагу... Я, как он велел, поставил закорючку. И он исчез на лестнице. Войдя в квартиру, я без промедления убрал конверт в ящик ночного столика со стороны Брацо. Потом вышел на улицу и заметил приоткрытое окно.

«Что это за человек, — думал я. — Бог его знает. Вдруг он не шутит, говоря, что кто-то может украсть отцовские деньги? А почему бы не он, к примеру?»

В ванной, придвинув стул, я положил конверт на водогрей. Его верхушка оказалась горбатой, конверт упал. Я снова положил. Конверт снова упал. Я сделал третью попытку — конверт соскользнул прямо мне в руки. На нем было написано: «Брацо Калем. 890 000 динаров». Открыв конверт, я обнаружил в нем толстую пачку сотенных и пятисотенных банкнот. Единственным решением было хранить деньги при себе, и постоянно. Я разделил их на две пачки: одну засунул в носок, другую — себе в штаны. И будь что будет!

Я во всю прыть помчался по улице Горица, потом через Партизанское кладбище и оказался у заднего фасада кошевской больницы. Со стороны улицы Фуада Муджича, у корпуса глухонемых, была дыра в заборе. Я незаметно пролез через нее — на главном входе меня бы не пустили: я был слишком мал и не мог предъявить никакого документа. Годами не кошенная трава шелестела у меня под ногами. Я думал лишь об одном: «Рак?» Перед хирургическим отделением я столкнулся с доктором Липой, который пришел взглянуть на Брацо.

— Так это не рак, господин Липа?

— Да говорю же тебе, малыш... Нет!

Я бросился к нему, обнял, стал осыпать поцелуями, потом, перепрыгивая через ступеньки, кинулся на третий этаж. В палату к Азре.

— Так ты не больна!

— Сорняк не извести! Ну-ка, садись!

Я достал судки и сразу дал ей супа. Она подняла крышку. Ее глаза остановились на моих носках; она будто знала, где я спрятал отцовские деньги. У меня по спине пробежал холодок.

— Это не твои носки.

— Да. Папины.

— Что с тобой, почему ты так дрожишь?

— Сейчас вернусь, мне надо в туалет, — бросил я, выскакивая из палаты.

Оказавшись в женском туалете, я прислонился спиной к стене. Я дышал так, словно за мной гнались. Убедившись, что никого нет, я принялся перекладывать деньги. Вынув их из носков, я стал рассовывать понемногу повсюду: в карманы, в трусы. А потом, чтобы привести себя в нормальный вид, сполоснул лицо холодной водой.

— Может, ты нашел, где... — спросила меня Азра, как только я вернулся в палату.

— Что «где»?

— Конверт с деньгами. Ты не покопался?

— Но, Азра! Мне было бы стыдно, это нечестно!

— Ты прав, — вздохнула Азра, внимательно глядя на меня. — До сих пор я жила в неведении, пусть так и будет.

«Она сама не верит ни одному своему слову», — подумал я, но обнял мать изо всех сил, и это разрядило атмосферу. Азра неторопливо съела приготовленный соседкой Надой суп.

— Ну ладно, мне пора, надо позаниматься математикой.

— Учись хорошо, сынок. Чтобы ни от кого не зависеть.

— А ты от кого зависишь?

— Без его зарплаты нам с тобой не прожить.

Несмотря на боль, причиненную мне материнскими словами, я обнял ее. Когда я выходил из больницы, Азра стояла у окна и махала мне. Я помахал в ответ, и она улыбнулась. Оказавшись по другую сторону здания, я проскользнул в парк и украдкой пробрался к центральному корпусу, где лежал отец. Это был мой первый визит к Брацо...

— Нет, ты только посмотри, малыш! — проворчал доктор Липа, показав мне блок «Мальборо» и бутылку виски, когда Брацо отправился провожать мужчин и женщин, своих коллег по Исполнительному вечу Социалистической Республики Боснии и Герцеговины. — И вот такие придурки управляют государством! Кое-кто только что едва не помер от второго инфаркта, а эти чертовы болваны приносят ему в больницу сигареты и виски! На, забирай домой!

Мой отец Брацо Калем стоял возле кровати. Он ждал меня. Инфаркт как будто омолодил его. Мне тут же пришло в голову: «Сорняк не извести!» Надеяться было не на что.

— Азра вернулась из Венгрии?

— Она звонила и сказала, что останется там до конца недели. Про тебя спрашивала.

— Ты ей ничего не сказал?

— Конечно нет! Сказал, что, возвращаясь с работы, ты ложишься вздремнуть, а потом идешь сделать «буль-буль»! Я плохо поступил?

— Плохо... Да нет. Просто не стоит волновать ее по пустякам... Кстати, Азра права: после похорон лучше, чтобы под ногами скрипели сосновые иголки. Представляешь, если я умру, вам придется ехать в Баре и шлепать по грязи.

— Во время болезни никогда нельзя упоминать о смерти!

— Ты еще будешь мне говорить!

Отец привлек меня к себе. Он натужно дышал. Когда он обнял меня, я заметил, как на подушку капнула слеза. На самом деле отец не хотел, чтобы я видел его лицо.

— Не надо плакать, — сказал я, утирая ему слезы уголком простыни.

— Скажешь Азре, что мы покупаем квартиру в Герцог-Нови у ее чокнутой тетки Бакуф. Так что теперь сосновые иголки будут скрипеть у нас под ногами до конца жизни!

— Мама будет счастлива!

Я изо всех сил обнял отца, чтобы он почувствовал, какой я стал большой.

— Приходил курьер из Исполнительного веча с твоим жалованьем. Он спросил меня, что я собираюсь делать со всеми этими деньгами. «Спросите мою маму, когда она вернется, — вот что я ему ответил. — А я про это ничего не знаю».

— Какое отношение твоя мать имеет к моему жалованью?

— Откуда я знаю!

— Ее это совершенно не касается! Кстати, где мое жалованье?

Он обнял меня, и его ладонь коснулась купюр, спрятанных под рубашкой на моем теле.

— Ну... там, где оно должно быть.

— Где это?

— В вече. Курьер унес его.

— Ты меня приятно удивляешь. Ты уже не маленький, а вполне зрелый для своего возраста. Браво!

Инфаркт не смог одолеть моего отца. Теперь это было очевидно.

— ...Понимаешь, я даю Азре столько, сколько надо, чтобы прокормить семью и оплатить жилье. Остальное — на черный день.

— А что это значит?

— Да хранит нас Бог от тяжелых времен, но ты даже не представляешь, как бедны были наши родители...

Что он там себе придумал про какой-то черный день, мне было плевать. Но больницы на сегодня хватит. Я обнял отца, и он проводил меня до двери. Нет ничего проще, чем бегом спуститься по больничной лестнице. Но даже там я опять вспомнил о женских коленках, которые открывались больше или меньше, в зависимости от ширины шага, когда их обладательницы поднимались по ступенькам, разумеется!

Из парка можно было разглядеть, как Брацо, стоя возле окна, на прощание машет мне рукой. Я ответил ему тем же, стараясь понять, как отсюда убраться. В глубине парка я слегка сбился с пути и опять оказался возле корпуса Азры! Через стеклянную дверь я заметил, что она спит. Какое облегчение! Нет необходимости снова вступать в разговор.

На улице Джьюра Джьяковича зажигались неоновые фонари, темнело, мне не было страшно. Я уже привык ощущать прикосновение денег к своему телу, в носках, вокруг пояса, под брюками. Возвращаясь из больницы, я пересек границу между городом и пригородом. С одной стороны с высоких металлических столбов лился мощный свет, с другой — лестница едва освещалась старинными фонарями, изуродованными молодыми пьянчужками.

Возле заброшенного кирпичного завода, на границе улиц Кошевско Брдо и Черни Врх[1], мне повстречались парень и девушка: он был огромный, в просторном плаще цвета морской волны, она — крошечная. Они целовались — ничего удивительного. Однако я заметил, что во время поцелуя девушка не спускала с меня глаз. Вдруг она закричала и отвесила парню три звонкие пощечины, а он набросился на нее с кулаками. Он повалил ее в пыль, она покатилась, взывая о помощи. Забыв о спрятанных на моем теле отцовских деньгах, я схватил парня за руку:

— Как ты можешь, она почти карлица!

— Что ты сказал?

— Что ты, при твоем росте, убьешь ее!

— Да кто ты такой, чтобы мне это говорить?

— Никто. Так нечестно, вот что я говорю!

Девчушка одним прыжком встала на ноги и стряхнула пыль с пальто. А что, симпатичная, такой тоненький стебелек в обтягивающих брючках, светловолосая цыганка. Будет о чем вспоминать во время моих купаний в горячей ванне! Она приблизилась на полметра и взяла меня за подбородок.

---

[1] Кошевская Гора и Черный Пик *(серб.)*.

— Тебе чего надо? — спросила она.

— Чего мне надо? Да ничего... Я просто попросил его не бить тебя!

— Нет, кто ты такой, чтобы совать нос в наши дела?!

— Никто, — начал я, но в этот момент парень двинул мне кулаком в нос с такой силой, что у меня искры из глаз посыпались.

Падая, я успел разглядеть лицо парня и ухватиться за полу его плаща. Удар ногой парализовал мне руку, в кулаке осталась оторванная от его одежды пуговица.

Не знаю, сколько времени я находился в отключке, но холод и боль в голове привели меня в чувство. Я огляделся. Никого... Меня посадили спиной к дереву и... раздели догола. Оставили в чем мать родила. Я разжал кулак и обнаружил пуговицу. Что делать голому, жалкому, с пуговицей от плаща в руке? Меня бил озноб. Что считать его причиной: мою ярость и разбитый нос или то, что я был совершенно наг? Дрожа как осиновый лист, я бросился бежать к заброшенному кирпичному заводу. Я вдруг вспомнил, что рядом, если идти по улице Черни Врх, живет мой одноклассник Селим Сейдик. В его семье было десять детей, если не больше. По правде говоря, их количество варьировалось, иногда доходя даже до четырнадцати. Наверняка у них найдутся какие-нибудь старые шмотки, чтобы я мог в приличном виде вернуться домой.

В подвале у них был оборудован игорный зал, куда приходила вся Горица; бывали также гости из района Вратник и даже из Ковачи. Поговаривали, будто отец эксплуатирует цыганок, заставляя девочек и женщин заниматься проституцией. Над Горицей дул ветер, я промерз до костей. Подойдя к приземистой халупе из битуминизированного картона, я прижался лицом к стеклу кухонного окна. Прямо передо мной маячила широкая спина какого-то мужчины, показавшаяся мне смутно знакомой... Он повернулся, и я узнал его... «Короче... сам знаешь!» Я потер глаза. Ну конечно, это он, мой кузен! Недо!

Стоя в одних трусах, он выпячивал грудь и красовался перед зеркалом. Потом подошел к ванне, из которой поднимался пар, и потрогал воду, чтобы проверить температуру. Я мгновенно согрелся. Открылась дверь, и в кухне появилась белокурая цыганка, та, что меня ограбила. У меня бешено заколотилось сердце; еще немного, и меня хватил бы инфаркт, как отца. Она остановилась возле ванны и скинула с себя полотенце. У нее были торчащие грудки и плоская, как сиденье стула, задница. Какой там холод! Я и думать забыл! Не знаю, была ли то манера Недо бросать свое «Короче... сам знаешь!» женщинам, но он принялся вопить, как Тарзан, и сиганул в ванну, будто это купальня в Бембаше. Он развернулся, взмахнул снятыми трусами и, подняв столб брызг, исчез под водой.

Светловолосая цыганка расхохоталась и ждала продолжения. Вынырнув, Недо с тигриным рыком затряс своими мокрыми волосами. Цыганка прыгнула в ванну, оба погрузились под воду и вынырнули, обнявшись. Недо держал девушку, как примерный школьник — перьевую ручку. Они подняли адский шум, они задыхались, их тела бились о стены. Никогда бы не подумал, что человеческая жизнь до такой степени тяжела.

Вдруг кто-то хлопнул меня по спине. Я обернулся — старик Цело.

— Эта приносит мне доход. Орет так, будто трахается с собственным братом. А ты, малец, что тут делаешь?

— Я... ничего!

— Как так ничего?! У меня задарма ничего нет!

Недо с белокурой цыганкой не знали удержу, они вопили во всю мочь, он грубо вдавливал ее в стены лачуги! Что это было? Конец света?

Пока Цело беспокоился за свое имущество и нервно покашливал, я под шумок проник в какую-то комнатушку, схватил одеяло и завернулся в него.

— Эй, потише там... Ты развалишь мой дом! — ворчал Цело.

— Тебе заплачено! Заткнись! — отвечал Недо.

— Из-за тебя заведение потеряет товарный вид!

Недо вопил все громче и громче, мне оставалось только заткнуть уши. Потом вновь наступила тишина. Скорчившись в углу, я слышал, как Цело орал:

— Поганый бордель! Что за проклятый способ заработать себе на корку хлеба!

— Поганый? Так построй покрепче!

— Не доводи меня!

Завернутый в одеяло, я вошел в комнату, где Недо со светловолосой цыганкой пили кофе.

— Ну... это... это я...

— Ничего себе! Откуда ты взялся?!

— Я тоже хочу...

— Мал еще. Потерпи, подрастешь, и я отведу тебя в одно местечко, где тебя сделают мужчиной.

Белокурая цыганка узнала меня. Она поставила чашку возле кофейника, повернулась ко мне спиной и, ни слова не говоря, торопливо стала собирать свои манатки, чтобы дать деру.

— Эй, малышка, постой! Еще одну палку! Эй!

Но она уже выскочила на улицу.

— Они украли у меня деньги! — крикнул я.

— Деньги... какие деньги? Что еще за фигня?

— Это не фигня! Они сперли у меня восемьсот девяносто тысяч динаров! Жалованье Брацо!

— Это была она?

— Сильно избили, раздели догола и свалили с деньгами.

— Воры позорные!

Мы бегом бросились через сливовый сад, потом по улице Ключка. Я старался не отставать от Недо. Он одевался на бегу; на мне попрежнему болталось одеяло из дома Цело.

— Не отставай, братишка.

— Я тут.

— Они еще пожалеют, что подрезали деньжата моей тетки!

На улице Джьюра Джьяковича мы взяли такси и добрались на нем до «Цамека», кафе в торговом комплексе «Скендерия». Алкашей там было как грязи. На взводе, точно швейцарские часы, Недо переходил от столика к столику. Моего кузена тут все знали и боялись его тяжелой башки и громадных ручищ, которые, как говорили на десятки километров в округе, сдавливали почище французского разводного ключа. Мне показалось, что в облаке табачного дыма я узнал своего обидчика, и я подвел Недо к его столу. Там играли в кости и матерились как извозчики. Когда Недо сгреб все ставки, за столом воцарилось молчание.

— Ну... это еще что? — спросил нападавший на меня.

Недо как следует вмазал ему, тот попытался ответить, но уже через секунду затих.

— Клянусь Тито и мамой, понятия не имею, об чем базар...

— Где твоя куртка?

— Ну... вон там!

— Выворачивай карманы!

Разведя руки в стороны в знак недоумения, парень старался убедить Недо, что ничего не сделал.

Он вернулся из гардероба с плащом цвета морской волны. Недо схватил одежду, вытянул руку в мою сторону, и я вложил в его ладонь пуговицу, которую мой кузен приставил точно к тому месту, откуда она была выдрана.

— Выйдем!

Хотя «Скендерия» находилась не на его «участке», он без промедления сгреб парня за шею и вывел вон.

— Так, значит, теперь, дылда, мы взялись за мелюзгу! — сказал Недо, указывая на меня. Потом, заведя ему руки за спину, довел моего обидчика до моста возле протестантской церкви. Там он велел ему снять рубашку. Тот вздумал было заартачиться, но, получив очередную крепкую плюху, повиновался.

— Тито и мамой клянусь, я ничего не знаю...

Тычками в шею Недо заставил парня подойти к перилам, а потом схватил за щиколотки и перекинул его голый торс через заграждение, держа над пропастью.

— Нееeет! Только не это! Умоляю!

Недо без труда стащил с него портки, связал штанины узлом, стянул ремнем и подвесил за ноги. Тот повис вниз головой, лицом к Миляцке.

— Деньги моей тетки! Говори, где они?!

— Деньги... Они у Бимбо, это по пути в Илиджу!

— Короче... как знаешь!

И Недо в два счета освободил повешенного.

— А теперь раздевайся! — приказал он. — Догола!

Отобрав у него одежду, он передал все мне и заставил надеть. Можно было подумать, я ограбил вещевые склады в Триесте. Джинсы «Super rifle» были длинны, их пришлось подвернуть; ботинки оказались на три размера больше. Под конец Недо бросил мне плащ.

— Клянусь Тито и мамой, Бимбо у меня все украл, — ныл парень.

Мы втроем легко сговорились. Такси доставило нас в забегаловку Бимбо. Точно такую же, как все кафе в Илидже. Разве что в зале никого не было. Из подвала тянуло дымком.

— Внизу играют... Я спрячусь в сортире... Ты попросишь у молодой красотки масла и разольешь его на полу. Да погуще! А главное, не зевай, иначе все испортишь!

— Уж как-нибудь!

— А ты пойдешь за ним! — приказал он моему обидчику. И сопроводил свое распоряжение увесистой затрещиной.

Я буквально воспринял все указания Недо, но из головы у меня не выходил Брацо и его посещения кафе. Когда я вошел, в винных испарениях передо мной возникли нахмуренные лица посетителей кабаков, куда меня водил отец. Лица, отпечатавшиеся в моей памяти с десятилетнего возраста, когда я оставался заложником в сараевских кафе. Иногда сборища участвующих в операции «буль-буль» могли затянуться до полуночи! В конце концов, повторяя: «Видишь, как тяжела жизнь в кафе... А Азра думает, что я развлекаюсь...» — Брацо укладывал меня поспать на двух сдвинутых вместе стульях.

То ли под воздействием этих воспоминаний, то ли из желания на собственной шкуре испытать тяготы жизни в кафе, но я направился прямиком к стойке и бросил:

— Малышка... один «буль-буль»!

— Один что, мой птенчик?..

— Один «буль-буль»! Ты что, не знаешь, что это? Да откуда ты такая взялась?

— Из Вратника.

— Я не о том! Я размышляю символически: откуда ты взялась, чтобы не знать великих принципов? Тащи!

— Да чтоб я знала, мой птенчик!

— Литр рислинга и литр газировки! Ничего не знаешь, двоечница!

Официантка улыбнулась, но, увидев рядом со мной совершенно голого мужчину, стыдливо опустила глаза. В туалете нервничал Недо, торопя меня поскорей проглотить мой первый «буль-буль». А я не спешил: спритц обволакивал желудок. Брацо был прав, это просто супер, когда он булькает и пузырится в горле. Я обернулся к голозадому, его трясло от холода.

— Малышка, ракии этому придурку, а то он заледенеет.

— Ты бы лучше накинул на него плащ.

— Нальешь ему ракии, я сказал! И не компостируй мне мозг!

— Что за выражения, мой птенчик!

Я снова налил себе спритц, выпил его залпом и зашел за прилавок:

— Где у тебя тут масло?

— Ух ты, да ты прям настоящий мужик! Тебе лет-то сколько?

— Восемнадцать... Так что там с маслом?

— Я бы тебе девятнадцать дала.

Я выпил до дна еще один спритц. Удивленная моим требованием, девица все же притащила из кухни двухлитровую бутыль растительного масла. Она решительно начинала мне нравиться, эта официанточка, хотя, если честно, идеалом красоты не была. Я поглядывал на ее коленки: они, верняк, были пособлазнительней тех, что мелькали перед окном нашей кухни.

На глазах у ничего не понимающего голозадого я вылил масло на пол. Затопил им все кафе. Официантка за стойкой улыбалась, хлопала в ладоши и ждала продолжения. Смочив маслом последний сантиметр пола, я сел, налил себе следующую порцию спритца и указал голозадому на вход в подвал. Оттуда по-прежнему несло дымом и доносились ругательства. Как и было условлено, голозадый подошел к ведущей вниз лестнице и по моему сигналу принялся орать:

— Ну что, козлы! Видите меня? Очко играет? Эй, толстожопые, вы там все оглохли или что?

Я, как договорились, спрятался под прилавком, потянув за собой официантку.

Бимбо и вся его банда тут же выскочили. Но вот незадача: сразу же поскользнулись и растянулись на полу. Вышедший из туалета Недо схватил первый попавшийся стул, разбил его о чью-то спину, а потом спокойно и методично переломал остальную мебель о хребты лежащих. Или о головы, стоило кому-нибудь из бандитов приподняться и попытаться встать на ноги. Стулья разваливались, щепки летели во все стороны, официантка непрестанно хихикала...

Все, кто пытался встать, горько пожалели об этом. Повернувшись к Бимбо, Недо за ноги поволок его к лестнице. Башмаки бандита скользили по полу, как автомобильные покрышки по заснеженной дороге. Затем кузен схватил его за уши и потащил в подвал, чтобы забрать деньги. В тот же миг я выскочил из-под прилавка и от ужаса принялся кричать — вроде того, как недавно вопил Недо в кухне Цело со светловолосой цыганкой. Заметив, что кто-нибудь из бандитов делает попытку шевельнуться, я страшно орал и бил без разбору. Тут голозадый присел, чтобы раздеть одного из лежащих. Не задумываясь, я тут же принялся колошматить его:

— Вот тебе, получай! Короче... сам знаешь!

— Никогда бы не подумал, что в Сараеве столько кабаков! — сказал я Недо, когда мы с ним выходили из кафе «Свракино село».

Мы не пропустили ни одной забегаловки, таверны или кафе и отовсюду уходили с почестями. Везде я на каждый стол заказывал «бульбуль»...

Мы вошли в кафе «Старая башня» в Илидже. Я по-прежнему командовал своим кузеном, который был старше меня. И, что самое странное, он мне повиновался.

— Гони бабки! Все! — приказал я.

— Нет, братец, прошу тебя... Что мы будем делать, если все промотаем?

— Плевать!.. Я свободный человек!

— Тебе всего тринадцать!

— Я выпить хочу! Гарсон! Спроси у всех этих людей, что они будут!

— Прошу тебя... не надо...

Присутствующие зааплодировали, вероятно решив, что таким образом я выражаю благодарность. Я едва держался на ногах... Вытащив деньги и заказав угощение для всех, я, спотыкаясь, двинулся в туалет, чтобы в очередной раз проблеваться...

«Ишь ты, — бормотал я, — туалет теперь не там, где я его оставил пятнадцать минут назад...»

Я продолжал спускаться по узкой лестнице, вошел в тесный коридор, оказался в чреве земли. Яркий свет подвальных фонарей заставил меня заморгать.

В глаза мне хлынул нестерпимый свет. Еще несколько шагов — и свет растворился во мраке. Я увидел плюшевый занавес и небольшую сцену за ним. Под мелодию аргентинского танго на сцене появилась женщина с огромной задницей, которой она поводила из стороны в сторону. Потом, вероятно следуя какому-то тайному ритуалу, двое мужчин смачно отпечатали по поцелую на каждой ее ягодице и простерлись перед ней ниц, словно перед божеством. Вдруг она затянула песню, под звуки которой карлик достал большой гвоздь и показал его толпящимся возле сцены зрителям. Раздался гром аплодисментов. Карлик вбил гвоздь в деревянный забор. Не прекращая пения, женщина демонстративно нацеливалась задницей на гвоздь.

— «Свою любовь тебе отдам... Устроим вечером бедлам. Бедлам, бедлам!»

Публика бесновалась, ритмично скандируя:

— Бедлам! Бедлам! Бедлам!

Женщина попятилась задом, прижалась к изгороди, и гвоздь исчез между ее ягодицами.

— «Свою любовь тебе отдаааам», — пела она.

Среди публики воцарилось молчание. На мгновение лицо женщины исказилось гримасой, но тут же расплылось в торжествующей улыбке. Затем она повернулась к нам задницей, и каждый смог увидеть торчащий между двумя полусферами гвоздь. Последняя лучезарная улыбка осветила гвоздь программы — очередную победу ягодиц.

Температура падала, хотя столбик термометра не опускался так низко, как в прошлом году. С сибирскими холодами в Сараеве было покончено. Наступили выходные, через кухонное окно я следил за замерзающими на лету каплями дождя. По возвращении из больницы Брацо и Азра узнали правду, которую я старательно скрывал от них: что они находились так близко друг от друга в то время, когда полагали, что очень далеко. Брацо лежал на диване в кухне, Азра — на кровати в спальне.

Я разогрел приготовленный соседкой обед и накрыл на стол, как в ресторане. Пусть получат удовольствие от еды: я даже салфетки положил где надо. Зайдя в спальню, я осторожно помог Азре подняться. Шов еще болел и мешал ходить. Однако она добралась до стула.

— Господи... до чего ж это трудно! — вздохнула она.

— Дело идет на лад. Еще вчера ты не могла встать.

Брацо поднялся, вымыл руки и посмотрел в окно:

— Послушай, Алекса... Вот о чем я думаю: ведь изменение климата России не на пользу?

— Ты считаешь?

— Никакой весны. А зима — как в былые времена. Сколько там, на улице?

— Минус пять.

Он вытер руки кухонным полотенцем и в задумчивости уселся за стол.

— Бог ты мой! Нелегко будет русским! Им не приходится ждать ничего хорошего! — заявил он.

— При чем здесь русские?

— Сам посуди: как они теперь будут защищаться?

— Хватит, — перебила его Азра, — оставь нас в покое со своими русскими и американцами. Хочешь, чтобы у тебя снова расшалилось сердце?

— Да пускай шалит! А вот ты мне скажи, что будет? Что будет, если начнется третья мировая война? Глобальное потепление, ты об этом подумала? Как отражать нападения? Нет зимы, нет и обороны. Эти, на Западе, не остановятся, пока не завоюют Сибирь! Черт, чего мы только не насмотримся!

— Прекрати... Посмотри лучше на нашего сына!

— На наше сокровище!

Брацо выглядел каким-то взвинченным. Он озирался, какой-то вопрос готов был сорваться у него с языка, но я сделал вид, что не понимаю, что его беспокоит. Я скорчил невозмутимую гримасу, как у Клауса Кински из фильма про массовые убийства.

Когда Азра потащилась в ванную помыть руки, Брацо поспешно склонился ко мне:

— Скажи, ты не знаешь, где мое жалованье?

Я обвел кухню глазами и уставился на эти идиотские тополя за окном. Я не знал, что отвечать, и вдруг заулыбался.

— Нет... правда? Она не знает, где мои деньги?!

— Разумеется, — сказал я.

— Супер! А где ты их спрятал?

— Знаешь, когда я тебе скажу, где они?

— Нет, когда?

— Когда вырастешь!

— Как?

— Пап, ты еще мал! Вырастешь — узнаешь!

Он не выдержал и расхохотался. На улице пошел снег.

ОЛИМПИЙСКИЙ ЧЕМПИОН

Шел дождь, осенний ветер срывал с тополей последние листья. На улице кто-то распевал во все горло. Мы всей семьей перегнулись через спинку дивана, чтобы посмотреть в окно. Внизу цеплялся за перила пятикратный победитель чемпионата Югославии среди радиолюбителей Родё Калем.

— Дорогие, вам что-нибудь надо?

Наш Родё был мастак задавать этот вечный вопрос и обращался с ним ко всем знакомым и незнакомым.

Он был столь же услужлив с друзьями, сколь суров по отношению к жене и к самому себе. Родё частенько напивался, поэтому регулярно карабкался на четвереньках вверх по идущей вдоль Горицы лестнице. Покорение крутого склона Горуши и ежедневный подъем по ступеням на четвереньках было для Родё спортивным достижением, сравнимым с олимпийским минимумом.

Приближались зимние игры, и в Сараеве отныне все мерили их меркой. Снега не было, хотя январь уже начался, и многие вопрошающе переглядывались. Кое-кто считал Олимпийские игры излишеством и цедил сквозь зубы:

— Да ну! Очень надо...

Бог знает почему, да только Родё был не в курсе Олимпийских игр. Как-то, заметив, что он еле стоит на ногах, моя мать испугалась:

— Да он сейчас упадет...

Через секунду Родё уже оступился и шмякнулся на землю. Падая, он уцепился за перила, разделяющие уличную лестницу на два пролета. Ему удалось встать, но надолго задержаться в этом положении он не смог. Бедолага сделал попытку найти опору на ступеньке, но ноги не слушались, он стукнулся головой о балюстраду и снова грохнулся. При виде крови мать вцепилась зубами в свою ладонь. Отец бросился на улицу, не надев башмаков.

— Царь Небесный, Брацо! Тебе нельзя выходить на улицу босиком!

— Я не босиком, а в носках.

Схватив башмаки, мать кинулась вслед за ним.

Вдвоем они подняли Родё, который лежал, уставившись в небо.

— Родё, ты живой? — пискнул я.

Тот что-то промямлил, по-прежнему глядя неизвестно куда своими прозрачными глазами цвета адриатической волны.

— Он точно с Карпат, — бросил я отцу. — Как все славяне.

— Из Дюссельдорфа! В прошлом году он приехал из Дюссельдорфа, — вмешалась мать.

— Азра, не сбивай мальчишку с толку!

— Никого я с толку не сбиваю. Он был у брата в Дюссельдорфе, три недели работал там на стройке.

— И все... пропил! — заметил я. А мать согласно кивнула.

Когда его голова коснулась подушки, Родё мгновенно меня признал:

— Вы только посмотрите! Истинный Калем! Голубые глаза, мировая скорбь!

— Что он имеет в виду? — спросил я, хотя ответ меня совершенно не интересовал. Ведь он и сам его не знал!

Я уснул с ощущением, что у меня «голубые глаза и мировая скорбь». Наутро я застал мать у окна: она смотрела на дождь, который еще усилился.

Ночь Родё провел у нас, на диване в кухне. Проснувшись спозаранку, он, по своему обыкновению, принялся суетиться. Не от признательности: ему нравилось помогать другим, тогда ему удавалось забыться. Отец с интересом смотрел на раскиданные детали полностью разобранного Родё радиоприемника.

— Я все себе могу представить! — воскликнул Родё. — Но чтобы человеческий голос пересек океан и достиг моих ушей, разве это не чудо!

— Может, это благодаря небу?

— Небо передает сигнал.

— То есть небеса все могут? — спросил отец.

— Вот именно! — отвечал Родё.

Он заткнул кухонную раковину, наполнил ее водой и, вместо того чтобы потуже закрутить кран, оставил его капать.

Отец с матерью одновременно склонились над раковиной и стали смотреть на расходящиеся от капель круги.

— Вот так все и происходит, мои милые!

— Нет, а... ты что, видел?

— Что видел?

— Как распространяются волны.

— Что может быть проще, если небеса все могут!

— Прекрати болтать про небеса! Сигнал — это как капля, которую небо роняет в море! Вот и вся штука!

В приоткрытую дверь кухни виднелись стол, сервант, диван, а также оба кресла, усыпанные тысячей мелких деталей радиоприемника. С ловкостью фокусника Родё собрал их, соединил между собой и включил радио. Передавали новости: «...Сегодня, во время своего визита в Смедерево, товарищ Тито в очередной раз подчеркнул, что революция отличается от обычной жизни!..»

— Надо будет принести из мастерской новый конденсатор, этот скоро сдохнет... — пояснил Родё.

— Ну да. И если можешь, глянь еще вентилятор, — попросила мать. — Он скрипит...

— Конечно, моя дорогая. Если тебе что-то надо, всегда говори.

Когда вентилятор был починен, мать тут же придумала что-то еще:

— В телевизоре второй канал плоховато работает...

Перевернув телевизор, Родё мгновенно обнаружил неполадку:

— Заземление никуда не годится!

Он подхватил кабель: когда он держал его на весу, картинка была безупречной; когда отпускал, телевизор шумел, а изображение искажалось. С порога Родё, широко улыбаясь, повторил:

— Понадоблюсь — звоните!

— Договорились. Но в следующий раз приходи в нормальном виде!

— Передавайте привет голубым глазам и мировой скорби!

После ухода Родё я прошаркал в кухню, и мать, как всегда, повторила, что ей не нравится, как я хожу.

— Выпрямись и прекрати волочить ноги!

Приближались Олимпийские игры в Сараеве. Полным ходом шли приготовления. Только вот снега все не было... Все изумлялись: уже и Новый год прошел, а никакого снега!

Больше всего я любил понедельник. Уроки начинались только после обеда. В этот день по утрам я всегда высыпался, дома никого не было. Проснувшись, я закуривал отцовскую «Герцеговину», варил себе кофе и подолгу мечтательно смотрел в окно.

Дул холодный ветер, улица была пустынна. Неожиданно под тополем появился Родё. Абсолютно пьяный — похоже, со вчерашнего вечера. Покачиваясь на ветру, он что-то напевал и приплясывал, спотыкаясь на каждом шагу. Выйдя на улицу, я применил к нему технику помощи раненым, которая оказалась эффективной. Живо просунув голову ему под мышку, я потащил Родё к нам.

Перед нашей дверью он вдруг выпрямился, более или менее протрезвев, и собрался уходить.

— Дружочек, я пошел... Но если вам что-то понадобится... — падая, бормотал он.

Мне не хватало сил, чтобы втащить Родё в квартиру. К счастью, он, похоже, уснул. Для меня это было облегчением, потому что я уже опаздывал в школу.

Окончания последнего урока я дожидался, можно сказать, в стартовых колодках, как американский спортсмен Боб Бимон перед решающим прыжком. Вернувшись домой, я обнаружил Родё лежащим в коридоре. Пришедшая в мое отсутствие мать не сумела одна заволочь его внутрь.

Вдвоем это оказалось просто: я подхватил его под мышки, мать взяла за ноги — и Родё очутился на диване в кухне.

— Я каждые пять минут выходила посмотреть, живой ли он еще! Ладно, звоню в неотложку!

— Подожди-ка, я попробую один приемчик!

Двумя пальцами я плотно заткнул Родё нос, и он что-то пробурчал. Необходимость звонить в неотложку отпала: он был жив!

Вернулся с работы отец, возбужденный пресс-конференцией и несколько разгоряченный.

— Родё пришел?

— Там, в кухне. Он спит.

Отец пошел будить его. Потом, нахмуренный, вернулся к столу и потребовал от Родё, чтобы и тот немедленно явился.

— Представляете, — сообщил он между двумя кусками, — разразился настоящий скандал. Да еще и международный!

— Что произошло? — спросила мать.

— А ты садись вот сюда, — приказал отец Родё.

— Да, дружочек, что же произошло? — повторил Родё.

— Ты в курсе, что Сараево собирается принимать Олимпийские игры?

— Даже птички на ветках и те в курсе!

— А известно ли тебе, что в Сараеве не осталось ни одной свободной кровати?

— Откуда мне знать, дружочек? — отвечал Родё.

— Избили одного парня... Корреспондента Чешского агентства печати...

Мы вообще не понимали, о чем говорит отец.

— Родё, почему ты решил, что он бабник?

— Да ладно, это ж видно, дружочек! А я не слепой!

— И что ты ему сделал?

— «Какого черта ты забыл в моем доме»? — вот что я у него спросил. В ответ он залопотал что-то по-иностранному, тут я ему и вмазал! А моя женушка кинулась на меня! «Прекрати! — говорит. — Я сейчас все объясню!» «Ах ты, грязная тварь! Это я тебе сейчас объясню!» А тот: «Недоразумение». Ишь ты, недоразумение! А жена: «Он журналист!» — «Журналист? А вот мы сейчас посмотрим, какой он журналист!» И я залепил ему еще пару раз. И поделом! Эти люди брешут, как дышат! Парень неподвижно распластался на тахте... Жену-то я запер в ванной! А тот вроде как сознание потерял. Я его сунул башкой под кран, он очухался, ну, я и отправил его в неотложку. Ему было не важно: он слова не мог вымолвить. Еще немного — и не о чем было бы говорить.

— Ты совсем свихнулся!

— Чего?

— Но, Родё, из неотложки сообщат в полицию, а там узнают, где его так отделали. И полиция живо до тебя доберется! Твоя жена заявила им, что сдала комнату иностранцу, чтобы на заработанные деньги поменять линолеум в кухне!

— А ты, — улыбаясь, подхватила моя мать, — избиваешь смертным боем невинного, словно новорожденное дитя, парня, потому что тебе привиделось, будто он бабник!

Мне решительно становилось не по себе.

— Азра, в этом нет ничего смешного!

— Да нет, очень смешно! Парень приезжает на Олимпийские игры, преспокойно снимает комнату... а его избиваааают!

— Это недоразумение!

— Это-то и забавно!

— А если его теперь посадят на два года, ты по-прежнему будешь считать, что это смешно? — возразил отец.

— Нет! — воскликнул я, разражаясь рыданиями. — Он не виноват! Что бы ты сказал, если бы, придя домой, обнаружил какого-то типа, пользующегося твоими зубочистками?

Я выскочил из квартиры и, усевшись на лестнице, расплакался.

После разговора отца с Родё, накануне открытия Олимпийских игр, крупными хлопьями пошел снег. Ветру не удавалось пригнуть тополиные ветки, и он совсем взбесился. Блоки, на которых крепились веревки для сушки белья, скрипели, и мне становилось совсем тошно.

Было ли тому причиной мое беспокойство за Родё, которого, по словам отца, вот-вот должны арестовать, но в какой-то момент мне показалось, что мой мир рухнул. В тот же миг со стороны военного госпиталя показался *«тристач»*[1], синий полицейский фургон. Я сразу перестал плакать и со всех ног бросился обратно в квартиру. Еще оставалось время, чтобы спрятать Родё в подвале.

Отец замер, обхватив голову обеими руками.

— Так что... — спросила мать, — как мы поступим?

— А если мы его спрячем...

— И речи быть не может!

— Но почему?

— Прятать преступника — это правонарушение.

«Ладно, — подумал я. — Придется действовать мне».

— Лучше всего, — предложил я, — чтобы он сам пошел и сдался полиции. Пока они за ним не приехали!

— По-твоему, дружочек, это могло бы стать смягчающим обстоятельством? — спросил Родё.

— Да! Непременно!

— Мировая скорбь, видишь, какой я осел! Ты ничему хорошему от меня не научишься.

Одному Богу известно, как мне в голову вдруг пришла мысль.

---

[1] *«Тристач»* — прозвище, данное в СФРЮ «Фиат-1300» и «Фиат-1500».

— Я провожу тебя в участок, — предложил я, внимательно следя через окно за приближением мигалки.

— Вот молодец! Браво! Способности моего сына анализировать!.. — обрадованно воскликнул отец.

— Я готов. Вы не станете на меня сердиться, а? Ну что, небесные очи, вперед?

Мы спустились по лестнице, и в подъезде, когда Родё уже собирался выйти, я потянул его за рукав:

— Не туда! Полиция!

Растерянный Родё побежал следом за мной в подвал. Я снял замок и впустил его.

— Не стоит этого делать, дружочек.

Я едва успел запереть дверь, как раздались шаги. Двое полицейских в форме и еще один в штатском позвонили к нам в квартиру. Я снял крышку с нашего чана с капустой, вытащил оттуда несколько кочанов и перебросил в наполовину пустую кадушку Гаврича, соседа. Родё залез в чан поверх капусты, я поставил крышку на место и ушел. Не знаю, что отец с матерью могли рассказать полицейским, но третий, в штатском, отправился осмотреться на местности.

— Стыд-то какой! Народ, славящийся по всему миру своим гостеприимством!

— Я то же самое ему говорила! Но, как хотите, он человек не злой...

— Не злой?! Что о нас подумают, когда узнают, что мы избиваем людей?

— Вот и я о том же...

Полицейские посветили фонариками по углам подъезда и спустились в подвал. Сидя на корточках возле двери, я с чердака внимательно следил за всем происходящим и с облегчением вздохнул, увидев, что они поднимаются.

— Как я вам уже сказал, он решил сам сдаться властям, — объяснял отец. — Удивительно, что вас не предупредили.

Я просидел на чердаке еще почти полчаса и только потом спустился в квартиру.

— Ну что, все в порядке? — спросил отец. — Он сдался в участок?

— Я проводил его до кинотеатра «Стутеска». Он кивнул мне и сказал: «До встречи у вас, дружочек».

— Хорошо бы, чтобы у него на плечах была голова, а не кочан капусты и все бы закончилось благополучно!

— Да, это уж точно!

Вечер прошел спокойно, но мать с отцом все не могли решиться лечь спать. А я ждал этого момента, чтобы отнести Родё в подвал чего-нибудь поесть. Отец продолжал смотреть телевизор, а мать — вязать мне новый свитер.

— Но, Азра, мне больше нравятся тонкие свитеры!

— У меня нет денег, чтобы их покупать... — И она вновь принялась за свое рукоделие.

Я прилагал все усилия, чтобы спровадить их и накормить Родё. Но тщетно.

«Родё должен двигаться», — подумал я, прежде чем предложить:

— Квашеной капустки... Эх, хорошо бы...

— Не пойду же я так поздно в подвал, сынок!

— Ладно, — поднимаясь, сказал отец. — Я схожу.

— Да нет... не стоит. У меня вроде живот болит...

— Тогда никакой капусты и никакого витамина С. Поставь себе градусник и марш в постель.

Я сразу послушался. Лежа под тяжелым одеялом, я не мог дождаться момента, когда родители пойдут спать. Но сон одолел меня раньше. Проснулся я в пять утра и сразу вскочил, в полной уверенности, что Родё умер от голода. Мать с беспокойством открыла глаза:

— Ты куда?

— В уборную. Живот болит.

В кухне, двигаясь, точно на видео в ускоренной перемотке, я схватил из холодильника все, что попалось под руку. Потом выскользнул из квартиры, перепрыгивая через ступеньки, сбежал вниз и, не спуская глаз с двери нашей квартиры, снял висячий замок. Освещая подвал карманным фонариком, я подошел к чану с капустой. Потом положил фонарик на узкий подоконник и поднял крышку:

— Родё, это я. Ты меня слышишь?

Никакого ответа. Меня охватила паника. Я один за другим вытащил из чана несколько кочанов капусты и очень скоро понял, что Родё удрал. Мне так нравилась мысль о том, чтобы кого-то спрятать, но мой план не удался.

— Алекса, ты где?

— Здесь.

— Ты чего там удумал?

— Да ничего. Просто решил подышать, живот болит.

Этой ночью я не только столкнулся с полной темнотой, но и впервые попытался что-то нарушить. Я хотел преступить красную черту, но у меня не получилось. Пришлось вернуться в постель.

Самое обычное утро. Отец разбудил меня, но я упросил его дать мне еще пять минут и закрыл глаза. По радио передавали новости:

«Вчера вечером, накануне открытия Олимпийских игр в Сараеве, трасса для бобслея была опробована довольно своеобразным способом. Два совершеннолетних гражданина, Милен Родё Калем, проживающий в квартале Горица, в Сараеве, и Деян Митрович, сторож трассы и уроженец общины Пале, поспорили относительно скорости, на которой боб преодолевает ледяную трассу. Позже мужчины решили заключить следующее пари: за бутылку ракии Родё спустится по трассе на полиэтиленовом пакете. Ударили по рукам... И сказано — сделано...»

Игроки в кости обнаружили полумертвого Родё с обожженной кожей и доставили в больницу. С этого момента ни мой отец, ни полиция не должны были уже беспокоиться о скандале, устроенном техником, чемпионом Югославии среди радиолюбителей.

Когда мы пришли в городскую больницу навестить его, Родё, забинтованный с головы до ног и совершенно неподвижный, посмотрел на нас и с превеликим трудом спросил:

— Дружья мои... вам сто-то нузно?

ПУПОК — ВРАТА ДУШИ

«Ослиные годы» Бранко Чопича мне прислали из Белграда по почте. На упаковке стоял штамп главпочтамта Сараева и значился адрес: Алексе Калему, ул. Ябучице Авдо, д. 22. Это была первая посылка, которая пришла на мое имя. В пакет была вложена визитная карточка, на обратной стороне которой Ана Калем, директриса Института международных рабочих связей, написала: «Моему дорогому Алексе на его десятилетие. С днем рождения! Тетя Ана».

Этот подарок не доставил мне удовольствия. Я ушел в школу, преисполненный утренних опасений. Когда колокол возвестил начало большой перемены, я первым завладел взрослой уборной — она так называлась потому, что там курили. Сигареты с фильтром «LD» считались школьными, потому что продавались поштучно. Одной хватало на десятерых третьеклассников.

— Не так! — укоризненно сказал Цоро мальчику по фамилии Црни. — Смотри, вдыхать дым надо так глубоко, чтобы он дошел до самого кончика твоего мизинца на ноге!

С первого взгляда могло показаться, он объясняет, как курить, хотя на самом деле он пользовался этим, чтобы затягиваться чаще, чем подходила его очередь.

— У меня проблемы, — внезапно признался я. — Что мне делать?

— Это зависит... от того, в чем проблема.

— Меня хотят заставить читать книги... А я бы уж лучше в колонию загремел!

— Есть одно средство.

Я чуть не поперхнулся табачным дымом. Перемена, конечно, большая, но не сказать, чтобы на курение нам была отпущена целая вечность.

— Какое?

— Мой братан до конца года должен был прочесть «Красное и черное» Бальзака.

— Стендаля. Бальзак написал «Отца Горио».

— Если не заткнешься, сейчас схлопочешь.

— Но я почти уверен...

— Тебе так важно, что ли, знать, кто написал? Значит, братану в школе сказали: не прочтешь, мол, книжку, останешься в седьмом классе на второй год. Мать привязала его к стулу и пригрозила: «Глаз с тебя не спущу, пока не дочитаешь до конца! Даже если ты сдохнешь, пока будешь читать, а я ослепну, на тебя глядя, но ты его прочтешь, этого чертова мужика!»

— Какого мужика?

— Ну, этого... да Бальзака же! Тут Миралем принялся ныть: «Мам, ну за что?» Но она его отругала: «И ты еще спрашиваешь?! Твой бедный отец был носильщиком. Но ты не повторишь его судьбу! А иначе во что верить...» Так что она привязала его. Как следует!

— Да ладно... И чем?

— Шнуром от утюга! А меня послала в библиотеку за книгой. Я уже собирался бежать, но Миралем знаком подозвал меня и сунул мне в руку записку: «Сходи к мяснику Расиму. Попроси сто пятьдесят ломтиков тонко нарезанного вяленого мяса». Я пошел в библиотеку, а потом к мяснику. Расим нарезал все прозрачными лепестками, чтобы проложить между книжными страницами и подкрепляться. Вечером мать уселась на диван против Миралема с полным кофейником кофе и больше не спускала с моего братца глаз. А он пялился на вяленое мясо, будто читает, и, когда ему хотелось съесть кусочек, придвигал к себе книгу, якобы чтобы перевернуть страницу Бальзака, и вытягивал оттуда прозрачный ломтик. Сто пятьдесят ломтиков — это как раз книга в триста страниц! А мать-то думала, что он все прочел!

Из-за «Ослиных годов» вся наша семья впала в крайнее возбуждение. Вместо того чтобы заниматься важными делами, отец с матерью принялись составлять список шедевров мировой литературы, которые я не читал.

— Мам, а что, если не читать, можно умереть?

Это был первый серьезный вопрос, который я задал матери. Она загадочно улыбнулась и усадила меня на стул. Я испугался, что она одобряет метод матери Цоро и решила взять на вооружение технику связывания.

Если так, то мне не удастся повторить трюк Миралема... Я ненавижу вяленое мясо! Мой желудок бунтует, стоит мне только представить себе сало или жир. Однако у моей матери была своя стратегия.

— Ты только взгляни, какие они умные, — говорила она, поглаживая нарядные корешки. — Достаточно прочесть одну, и непременно узнаешь новое слово. Слыхал о таком правиле?

Проблема обогащения словарного запаса меня вообще не колыхала. Мать показала мне «Виннету» Карла Мая, «Отряд Перо Крвжица» и «Поезд в снегу» Мато Ловрака[1]. Вся эта суета вокруг чтения меня бесила. Я прямо кипел. Моя тетя была знакома с Бранко Чопичем, что мне особенно не нравилось.

— Лучше бы она была знакома с Асимом Ферхатовичем![2] Тогда я мог бы бесплатно ходить на матчи футбольного клуба «Сараево»!

— Твоя тетя революционерка, Алекса! Тебе не следует говорить такие вещи! Ты не должен проявлять такую ограниченность!

---

[1] *Мато Ловрак* (1899–1974) — крупнейший сербский и хорватский детский писатель.

[2] *Асим Ферхатович* (1933–1987) — один из самых популярных сараевских футболистов.

— Что?! Это Хасе ты считаешь ограниченным?

Во мне все бурлило. Я готов был взорваться, если бы при мне кто-то осмелился оскорбить футболиста, который в одиночку разгромил загребский «Динамо» на их поле! Три — один!

— Я не имею ничего против твоего Ферхатовича, сынок, но у тебя оба дедушки — ответственные работники, и ты не можешь не любить книгу!

— Ну и что? Я не обязан из-за этого перестать играть в футбол! Дожить до такого ужаса вам не грозит!

Я все больше распалялся, как огонь на ветру, и тут моя мать вдруг взялась за утюг.

— О нет! — завопил я. — Ведь ты же не собираешься связать меня шнуром?!

— С чего ты взял, что я тебя свяжу? — разволновалась мать. — Что с тобой, совсем спятил?

Психологическое давление не возымело никакого эффекта, меня по-прежнему не тянуло читать что-нибудь, кроме футбольных сводок в «Вечерних новостях». В знак протеста я заинтересовался еще и теми, которые касались второго, третьего и даже четвертого дивизиона. На тумбочке возле моей кровати высилась стопка книг, которые предстояло прочесть в первую очередь. Теперь отец убедился: сделать из меня интеллигентного человека не удастся...

— Если он упрется, ничего не поделаешь... Пускай играет, у него вся жизнь впереди. Может, в один прекрасный день опомнится!

Эти слова проникли в мой сон. Едва мать подоткнула вокруг меня шерстяное одеяло, как я провалился в мучительное видение: передо мной возникла гигантская раковина размером с бассейн турецких бань в районе башни Баргаршия. В раковине плавала мочалка. Издали я увидел приближающегося незнакомца; надо было вынуть мочалку, заткнувшую сливное отверстие. Из крана текла вода; она переливалась через край и затопляла мне голову. Я очнулся в полном сознании, но не мог пошевелить ни рукой ни ногой. Проснувшись посреди ночи и плавая в собственном поту, как сказал бы наш сосед Звиждич, я заорал.

— Что случилось, малыш? — спросила мать. — Почему твое сердечко так испуганно бьется?

Как объяснить ей, что меня сильно потрясли слова отца?

— Пожалуйста, скажи Брацо, чтобы оставил меня в покое! — всхлипывал я в объятиях матери, прижавшей меня к груди, чтобы успокоить.

— Ну что ты, Алекса, он желает тебе только добра!

И тут я отчетливо понял фразу «Дорога в ад вымощена благими намерениями»! Господи, сделай так, чтобы у Брацо их оказалось не много!

— Смотри, видишь? — Мать указывала пальцем на мой пупок.

— Да. Ну и что?

— Это врата твоей души.

— Пупок... врата души! Ты смеешься?

— Нет, я серьезно. А книги — пища для души.

— Тогда душа мне не нужна.

— Человек без души не может.

— А душа... что-то ест?

— Нет. Но чтобы она не утратила силы, необходимо читать...

Она пощекотала меня, и я улыбнулся. Но это вовсе не означало, что я попался на ее россказни о душе.

— Я еще не человек.

— Что ты говоришь?

— Человек — это взрослый.

Я вовсе не собирался ссориться с матерью, потому что был уверен в своей правоте. Но меня бесило, что она кормит меня байками.

Желая не то чтобы приохотить меня к чтению, но просто заставить прочесть хотя бы одну книгу, мать вдруг вспомнила, что я член Союза югославских скаутов. И как-то вечером принесла в мою комнату книгу Стевана Булайича «Ребята с Вербной реки»[1].

---

[1] *«Ребята с Вербной реки»* — повесть о жизни югославских ребят, воспитанников дома сирот войны, об их мужестве и дружбе, которая помогает им выследить и поймать опасного преступника. (В оригинале «Скауты с озера выдр», но такой книги на русском языке нет.)

— На, прочти! И ты об этом не пожалеешь, сынок!

— Азра, умоляю! Лучше накажи! Хочешь, заставь меня встать коленками на рис, только давай перестанем мучить друг друга!

— За что же тебя наказывать? Ты не сделал ничего плохого!

— Потому что ваше чтение — настоящее мучение! У меня уже на третьей странице глаза слипаются, и мне это ничего не дает! Лучше рис под коленками, чем ваши книги!

Раз уж история со скаутами потерпела неудачу, мать решила обратиться к более популярной литературе. Зная, что ковбоям я предпочитаю индейцев, она на свою тринадцатую зарплату купила для меня полное собрание книг Карла Мая. Однако милый индеец имел не больше успеха, чем предыдущие герои. Как и раньше, мои глаза начинали косить на третьей странице, на четвертой останавливались, а на пятой каменело мое сознание.

Исчерпав свое терпение, отец вынужден был стоически смириться с мыслью, что среди Калемов интеллигентных людей больше не будет.

— Сынок, если так и дальше пойдет, кончится тем, что ты, как герой русской литературы Обломов, прочтешь свою первую книгу, когда выйдешь в отставку! — сделал вывод отец за чашкой кофе, под звуки радио Сараева, передававшего бодрые утренние песни.

Я собирался в школу; уходя на службу, отец категорически бросил мне:

— Вот и все... будет именно так, и никак иначе!

— Обломов, это кто? — спросил я у матери. — Может, он когда-нибудь оставит меня наконец в покое со своими русскими революционерами? Какое мне дело до этих проходимцев?!

— Во-первых, не «он», а «отец». А Обломов... нет, я не знаю!

— Азра, ваша литература меня не интересует! Поднимись на Горицу и глянь там на свою литературу! Она каждый день происходит на моих глазах. У тамошних цыган то и дело случаются какие-то романы или новеллы — в общем, как вы там называете свои истории.

— Книги читают для того, чтобы сравнить свое существование с жизнью других и в конечном счете повзрослеть!

— А что, если я не хочу взрослеть?

— Так не бывает.

— Зачем мне читать, если я могу наблюдать живую книгу? Давай объясни!

— Человеческому мозгу необходимы упражнения, потому что, как ты знаешь, это тоже мышца.

— Раз так, у меня есть кое-что получше.

— Получше, чем чтение? Ну-ка, расскажи...

— Забрасывать шарик в водосточную трубу, чтобы тренировать эту мышцу!

— Дубина!

— А чего?! Это же здорово! Сейчас лето! Читать летом... С чего вам взбрело?..

— Малыш, мне кажется, ты над нами издеваешься, а сам читаешь тайком...

— Почему ты так решила?

— Да потому, как ты выражаешь свои мысли. Послушать тебя, так ты аж три книги прочел!

В отпуск в Макарску мы уезжали с автобусного вокзала. Едва заняв свое место, Азра заставила меня принять навизан, а потом и сама проглотила таблетку от укачивания. Уже в Хаджиче меня начало тошнить и рвать. В Коньце разыгралась настоящая трагедия: водитель отказался остановиться.

— Да поймите, я могу остановить машину только в случае очень серьезной аварии! Я обязан соблюдать расписание!

— Как тебе не стыдно! Ребенка выворачивает наизнанку, а ты мне про расписание! Какое малышу дело до твоего расписания?!

— Надо соблюдать время пути, дуреха! — проорал какой-то грубиян.

— Вот бестолочь! Если я остановлюсь, у меня вычтут из зарплаты. А мои ребятишки? Ты их кормить будешь?

— Не остановишься — я тебя придушу! Плевать мне на твое расписание!

Мать встала за спиной шофера, словно удавку держа в руках полотенце.

Он тут же съехал на обочину и остановился. Я выскочил, и меня вырвало. Я увидел, как автобус, словно склонившийся на ветру тополь, накренился в мою сторону под тяжестью пассажиров, прильнувших к окнам, чтобы посмотреть, как меня выворачивает. Прямо над автобусом висела луна каких-то немыслимых размеров.

— Одна желчь, товарищ.

— Думаете, это не опасно? — разволновалась какая-то старушка.

— Нет, — отвечала мать. — Этому ребенку в автобусе всегда плохо.

После Метковича я уснул. Как ни в чем не бывало, будто и не блевал только что. Сон быстро вернул мне силы, а еще я вдруг сообразил, что в борьбе против чтения усталость может оказаться весьма кстати. Собирая чемоданы, Азра незаметно сунула в один из них книжку с картинками «Дэви Крокетт»[1]. Уже в автобусе она начала листать ее, периодически закрывая, чтобы привлечь мое внимание к обложке. Таким образом она надеялась заинтересовать меня историей про улыбающегося блондинчика в шляпе с хвостом, доходившим ему до плеч, как на шоколадках загребской кондитерской фабрики «Краш», на обертках которых были изображены девушки с падающими им на грудь косами.

Рано утром мы прибыли в Макарску. Сильно пахло гнилыми фруктами — автовокзал

---

[1] *Дэвид «Дэви» Крокетт* (1786–1836) — американский народный герой.

примыкал к базару. На прилавке с товаром, погруженным в Метковиче, сидел здоровый детина и распевал: «Разве можно Лондон сравнивать со Сплитом...»

— Хорошо выходные провел? — спросил певец человека, раскладывающего на прилавке паприку.

— Супервыходные, парень! Мы сделали «Динамо», разрази меня гром!

Во дворе воняющего плесенью трехэтажного дома нас поджидал хозяин с голым, как яйцо, черепом, густыми бровями и багровым лицом. Он отдал нам ключи.

— Упаси нас господь от пьяниц и запаха ракии! — шепнула мать.

— Какая ракия, Азра, он пьет вино, — ответил я.

— Все равно, это тоже алкоголь!

Благодаря соседству с родительской спальней я был подкован в таких делах: в зависимости от того, что отец пил накануне, от стен исходил разный запах.

— Откуда он такой взялся? Мы приезжаем, и, вместо того чтобы угостить ребенка инжиром, он спрашивает, почему не выслали денег?! Да еще и говорит, что вообще не стоило приезжать!

В комнате Азру ожидало очередное разочарование, которое она не преминула выразить:

— И это у него полотенца? Паршивые тряпки!

Она бросила их на пол и достала из чемодана наши, а заодно простыни и одеяла и застелила кровать привезенным из Сараева бельем.

— Ну вот, теперь можно считать, что отпуск начался...

Можно подумать, она готовится открыть Олимпийские игры, подумал я, прежде чем провалиться в сон.

Дом оказался совсем никудышным, с поднимающимся из погреба запахом плесени и скисшего вина, зато позволил избежать встреч с мировой литературой. Он находился в двух километрах от пляжа, и долгий утомительный переход был мне на руку.

И все же мать не собиралась отказываться от мысли приучить меня к чтению. При всяком удобном случае она лезла мне на глаза со своим «Дэви Крокеттом». Она читала, а я видел, как она едва заметно усмехается. Но я не попался на удочку. На обратном пути, примерно на полдороге, я наносил чтению последний удар:

— Азра, понеси меня... Ноги совсем не держат...

Согласен, это ненормально, чтобы мать взваливала на себя десятилетнего верзилу почти одного роста с ней. Но мы были недалеко от дома. И в тот день мой план сработал. На завтра я придумал другой.

В расположенном в порту клубе местные ребята, мои сверстники, занимались водным поло.

— Мать хочет, чтобы я тренировался, — сказал я им. — Но что ты будешь делать, в Сараеве нет условий...

На самом деле так я сформулировал те же претензии, что мой отец, переведя их на свой язык. Ведь тот посвящал девяносто процентов своего свободного времени разговорам о политике, причем его коньком всегда было полное отсутствие объектов социальной инфраструктуры для балканского человека. Тут он выкладывал главный козырь — следующую истину: в наших городах нет ни одного бассейна. И это притом что поговаривали, будто Павле Лукач и Мирко Петринич иногда занимаются водным поло в Бембаше...

Мне удалось подбить мать, и она решила пойти поговорить с тренером макарского клуба.

— Почему бы и нет? — заключил тот, смерив меня взглядом. — Когда подрастет, будет ростом с Вели Йоже!

— А это означает, что по телосложению и росту ты относишься к динарическому, то есть средиземноморскому, типу! — заявила мать, гордая тем, что с раннего детства пичкала меня фруктами и овощами, а главное, своим вонючим рыбьим жиром.

Плавать и одновременно пасовать мяч оказалось делом нелегким, не говоря уже о том, чтобы попасть в цель. Под водой, где бóльшую часть времени находилась моя голова, я припоминал, как щедро ободрял комментатор Младен Делич наших спортсменов: «Наши дельфины обыграли венгров со счетом 5 : 1! Хвала Янковичу! Спасибо его отцу, спасибо его матери!»

По вечерам мне едва хватало сил перекусить, и я валился на диван, так что матери приходилось раздевать и укладывать меня. До конца нашего пребывания в Макарске вопрос чтения больше ни разу не обсуждался.

В последний день, когда солнце скрылось, я не мог отвести глаз от моря. Я даже не подумал напоследок искупаться, настолько печалила меня мысль о том, что целый год я не увижу выступающей над поверхностью воды круглой скалы. Глядя на накатывающие на прибрежную гальку небольшие волны, я пытался представить себе пустынный пляж. Меня огорчало, что меня не будет здесь, когда пойдет дождь; я не увижу, как сильный ветер уносит сломанные ветки, не провожу взглядом несущиеся по пляжу клочья травы и водорослей. А главное, без меня потом засияет солнце!

«Вот из-за таких страданий, от которых начинает стрелять где-то в пупке, «живот» порусски называется так же, как по-сербски «жизнь», — однажды сказал мне отец.

Я наклонился и, чтобы закрепить воспоминания о каникулах, хлебнул морской воды.

В аэропорту Сплита маленький «дуглас» оторвался от земли, и мне сразу заложило уши. Когда стало давить и на глаза, я испугался, что они сейчас выскочат из орбит.

— Без глаз меня больше никогда не заставят читать, — прошептал я совсем тихо, чтобы не слышала Азра. И такая вероятность меня вполне устроила.

Когда мы приземлились в Сурчине[1], в ушах у меня стало потрескивать. Кто знает, может, это благо. Вдруг это окажется отличным оружием против чтения?

Пока мы гостили в Белграде у тети Аны, во рту у меня еще сохранялся соленый вкус моря. Теткина квартира находилась недалеко от церкви Святого Марка, а дом можно было легко узнать благодаря «Душанову граду», ресторану, изумительное меню которого славилось на весь мир. Тетя жила на площади Весов, по-турецки — Теразии, в доме номер шесть. В возбуждении я добежал до второго этажа. Мать нажала кнопку звонка, и меня охватила сладкая тревога, как бывает всякий раз, когда я встречаю кого-то милого моему сердцу. Тетя открыла дверь и радостно обняла меня. Во мне немедленно проснулся маленький пижон:

— Белград прекрасно выглядит, когда на улицах никого!

— Как раз в августе город красивее всего.

— Куда подевались все белградцы с тоскливыми лицами?

[1] *Сурчин* — теперь аэропорт «Никола Тесла Белград».

— Купаются в море или копаются в садах своих родителей. Скажи-ка, ты прочел «Ослиные годы»?

Я в смущении потупился. Из гостиной за мной следили Шопен, Бетховен, бравый солдат Швейк, Моцарт... Служебные обязанности тети заставляли ее колесить по всему миру, и отовсюду она привозила бюсты великих людей.

— Почему у тебя такое лицо? Отвечай начистоту: прочел или нет?

— Нет, тетя, — признался я с полными слез глазами. А потом добавил: — Вы когда-нибудь видели, чтобы кто-то читал летом?

Она улыбнулась:

— Успокойся, Алекса. Теперь не лето, осень уже на пороге.

Подойдя к книжному шкафу, она взяла с полки книгу:

— Возьми. Тут не требуется никакой сосредоточенности.

Тетя протянула мне «Самовнушение» Эмиля Куэ, открыв том на странице со словами «С каждым днем я становлюсь лучше во всех отношениях».

Я прочел фразу вслух и расхохотался:

— А вот и неправда!

— В этом-то вся проблема! Тебе нравится? — спросила тетя.

— На самом деле это невозможно, ведь так?

— Невозможно?.. Что именно?

— Ну, это... Становиться лучше во всех отношениях с каждым днем... — с ухмылкой ответил я.

— Раз так, тебе придется повторить эти слова сто раз. Не важно, что, по-твоему, это неправда. В конце концов ты поверишь...

Тем же вечером мать позвонила отцу в Сараево:

— Наш сын только и твердит: «С каждым днем я становлюсь лучше во всех отношениях». И при этом не сводит глаз с чистого листа. Якобы концентрируется!

«Ослиные годы» стали моей первой книгой. В ней говорилось, что у людей есть душа, и я с легкостью поверил, что тоже наделен ею. Герой книги, приехавший на вокзал со своим дедом, без стука открыл дверь моей души гораздо раньше, когда я смотрел на чистый лист. Маленький Бранко Чопич переступил порог этой открытой двери, когда дедушка вез его в интернат. Он тогда впервые увидел поезд и принял его за змею. Это стало отправной точкой, но, когда все персонажи Бранко Чопича принялись сновать через дверь туда-сюда, словно на параде в честь дня рождения Тито, я осознал всю справедливость своей теории относительно нелогичности летнего чтения.

Как забыть ту осень и радость, доставленную мне Бранко Чопичем? И как забыть фотографию, на которой мой отец запечатлен с нашим великим писателем? Она была сделана в отеле «Европа», где отец и Бранко Чопич познакомились.

Узнав, что сын прочел свою первую книгу, Брацо попросил фотографа Мики Гюрашковича приехать в гостиницу. Мать принарядила меня и повезла на трамвае. Мороженое было изумительное. Когда я приступил к третьему шарику, в зал вошел отец с Бранко Чопичем. Тот оказался совсем не похож на образ, который сложился у меня в голове. Я ожидал увидеть величественного Байя Байязита, а не крошечного Биберче. Я успел увидеть его раскрытую ладонь, и мы с матерью вздрогнули от фотовспышки.

— Скажи господину Бранко, как тебя зовут, — шепнула Азра, схватив меня за руку, чтобы вложить ее в ладонь этого великого человека.

Никогда не забуду того рукопожатия.

— А... Алекса... Алекса Калем, — пробормотал я.

— И скажи ему, как тебе книжка, — продолжала нашептывать мать.

— Зачем, он лучше меня знает!

И в тот же миг мне вспомнился рассказ отца про боль возле пупка, про то, что по-русски «живот» звучит так, как по-сербски «жизнь». Не выпуская руки матери из своей, я вдруг спросил:

— Господин Бранко, почему «живот» по-русски, как по-нашему «жизнь»?

— Потому что за пупком находится душа, а без души нет жизни.

Он ткнул пальцем в мой пупок и слегка пощекотал меня. Я улыбнулся.

— Ты с ней поосторожней! — прошептал он.

— Я знаю... чтобы она не зачахла!

— Да нет! Чтобы никто ее тебе не загубил!

Каждый раз, уезжая из Сараева за границу, я делаю пересадку в Белграде.

Это ниточка, соединяющая меня с миром. Мне всегда нравится останавливаться там, ночевать у тети Аны. Чтобы попасть из аэропорта в центр города, надо проехать через Бранков мост, мост Бранко. И каждый раз на нем я вижу господина Чопича. Я машу ему рукой. И он машет мне в ответ.

После Второй мировой войны Бранко Чопич пришел с горы Грмеч в Боснии, чтобы найти в Белграде своего дядю. Не найдя его, он уснул под мостом Александра Карагеоргия. Много лет спустя, всей душой переживая югославскую трагедию, он спешил завершить все дела. Он боялся за своих персонажей: Николетину Бурсач, Байю Байазит, Йежурака Йежича, Дуле Дабича.

«Что станется с ними, если все рухнет?» — спрашивал он себя и не мог ответить.

И вот однажды он пришел туда, где провел свою первую ночь в Белграде. И не встретил никого, с кем поздороваться. Какая-то женщина с удивлением остановилась, проводила его взглядом и едва заметно махнула рукой, когда он уже был на противоположном конце моста. Бранко тоже остановился. Прежде чем перекинуть ногу через перила, он увидел ту женщину, и взмах ее руки, и желание поприветствовать его. Он обернулся, махнул в ответ и бросился в Саву.

В ОБЪЯТИЯХ ЗМЕИ

I

Коста — вечный мальчишка.

Распластавшись на спине своего осла, он умело удерживал равновесие в седле. По словам товарищей по казарме, он улыбался, даже когда спал. Угадать его возраст было нелегко. Не молод, но и не стар, высокого роста, с прямым носом и большими голубыми глазами. А еще лицо украшала обескураживающая улыбка, не сходившая с полных губ.

Осел семенил. Глядя в небо, Коста мурлыкал какой-то популярный мотивчик, а его голова в солдатской пилотке болталась в седле. Коста следил, как с одной стороны всходит огромная луна, а с другой — исчезает огромное солнце. Вдруг осел застыл на месте; падая, Коста с грехом пополам приземлился на грунтовую дорогу. Прямо рядом с гадюкой... Пятнистая, зловещая, она быстро высовывала язык... Не опуская головы, осел попросту поводил ушами, словно читал мысли Косты и понимал, что надо замереть и ждать, пока змея не спрячется среди камней. Гадюка не уползала. Коста вытащил притороченное к седлу ружье, зарядил его, прицелился и осторожно положил палец на спусковой крючок. Но тут же снял.

— Никогда не трогай змею! — когда-то давным-давно сказал ему дед.

— Никогда... Это еще почему? — удивился маленький Коста.

— Конечно, именно змеи подтолкнули нас к греху, но, когда пришлось покинуть рай, они ушли вместе с нами!

— Так, значит, я должен позволить ей укусить меня, а потом в страшных мучениях помереть от яда?

— С чего бы им кусать тебя, если ты их не трогаешь?

Так и теперь. Держа гадюку на прицеле, Коста смотрел, как она ползет по тропе и скрывается в ближайшем кустарнике.

Когда, ведя осла под уздцы, он входил в деревню, куда ежедневно отправлялся за молоком для казармы в Увийеце, его взгляду открылась типичная для Герцеговины картина: корова, дерево, женщина, шарпланинская пастушья собака, дом с примыкающим к нему хлевом. Обычно Косту обслуживала старая мегера. Сегодня же на него испуганными глазами смотрела крепкая герцеговинка. Совсем как олень на фары едва не сбившего его автомобиля. Женщина перестала доить корову.

Коста отвязал от седла фляги и вошел в хлев:

— Млада! Ты обручена?

— Давно... Теперь осталось одно воспоминание, и больше ничего!

— Я ведь вас уже видел? — спросил Коста, пораженный ее красотой.

— О, меня хорошенько прятали!

— От чего?

— От всего! От жениха, от вора, от людей! Ждали случая!

— И им... удалось... тебя защитить?

— Даже от жизни!

В дальнем углу двора старуха-мать со злобным лицом таскала в стойло вязанки сена. Заметив, что Млада одарила Косту широкой улыбкой, она проворчала:

— Ну что так глупо уставилась?

— Я не уставилась глупо, мама, — ответила молодая женщина.

— Эй, чтобы мне не пришлось повторять!

— Путь от казармы неблизкий, — пояснил Коста. — У меня уже спина разламывается сидеть на этом осле, поэтому я потягиваюсь, раскачиваюсь вправо-влево, так что вы можете подумать, будто...

— Ты хочешь сказать, у тебя зад болит?

— Да. А еще...

— Есть средство. Я наберу для тебя подорожника...

— А я усядусь на него!

Коста заулыбался, полагая, что эта отличная шутка — залог дружеских отношений.

— Зага Божович. Слыхал о таком?

— Нет.

— Не прикидывайся дурачком. Сына моего знаешь?

— Рассказывали о каком-то Божовиче, который за деньги нанялся воевать в Ираке.

— Он самый! Только уже не в Ираке. Теперь его послали в Афганистан.

— Точно! Кто же о нем не слышал!

— Так что не зарься на его невесту... и не рискуй жизнью!

— Да я что... просто пришел... и все тут...

Навьючивая фляги с молоком на осла, Коста все же сумел украдкой взглянуть на Младу и вызвать ее ответную улыбку. Потом развернулся и пошагал со своим грузом в долину.

Сидя на осле задом наперед, Коста глядел на деревню и думал о Младе. Погода портилась. Две лохматые тучи затеяли в небе акробатический этюд. Их несет любовь, подумал Коста. Зрелище увлекло молодого солдата, ему тоже захотелось так же свободно нестись по небу. Еще мгновение, и он представил, что парит, точно птица. А вот и Млада взлетает. В этот самый момент осел резко встал и замер на месте. Он увидел извивающуюся за камнем змею. Оттуда выбралась еще одна, больше первой. Коста взял осла за уздечку и стал наблюдать за змеями — без опаски, но с почтением. Потом тихонько опустил руку во флягу, зачерпнул молока и плеснул на дорогу. Немного подождав, он с детским любопытством посмотрел по сторонам и плеснул еще. Змеи никак не отреагировали. Коста осторожно слез с седла, спокойно обошел их и двинул в сторону Увийеце. Они с ослом уже достигли склона, спускающегося к казарме. Змеи так и не двинулись с места.

Спрятавшись в зарослях зверобоя, Коста вооружился биноклем, чтобы попытаться издали разглядеть змей. И — о чудо! Они как раз лакали молоко с грунтовой дороги. От этого зрелища его добродушная улыбка стала еще шире, а хорошее настроение, которое появлялось у него, как только возникал малейший повод, — еще улучшилось.

Под впечатлением от встречи со змеями он вошел в Увийеце и в окопах, вырытых вдоль всей идущей под уклон равнины, увидел солдат и крестьян, защищающих свои дома от врага. Неприятель был повсюду среди возвышающихся над деревней холмов. Коста ловко уклонялся от выстрелов стоявших у него на пути снайперов. Он прыгал, пригибался, складывался пополам, выпрямлялся — и ему казалось, будто он танцует. И лицо его еще ярче освещала улыбка, словно она могла помочь ему увернуться от пуль и избежать неминуемой смерти. Ему удалось завести осла в хлев и отнести в кухню фляги, молоко из которых он частично пролил, пока бежал. Спрятавшись под столом, кашевар ждал, когда закончится сильная стрельба.

— Пули тебя не замечают... Ты Божий избранник или как?

— У нас в деревне говорят, Бог не без милости. Он знает, что делает... А какую женщину я видел!

— И где же?

— В той деревне, куда я хожу за молоком.

— Я ее знаю. Невеста Заги! Только зачем ей быть красавицей, если она состарится, пока его ждет!

— А может, она его и не ждет.

— Даже не думай! Этот Зага коварней змеи!

Видя, что кашевар не на шутку испуган, Коста попытался успокоить его.

— «Будьте мудры, как змии, и просты, как голуби...»[1] — процитировал поп, который вдобавок к своим церковным обязанностям еще и кашеварил.

— К черту Евангелия! — сказал солдат с яйцевидным черепом, получивший наряд на чистку овощей. — Видели бы вы, что ребятня творит!

— Что, например?

— Учат змей курить!

— Змеи курят?

Мужчины втроем вышли из кухни на необстреливаемую сторону деревни и поспешили на улицу, откуда можно было видеть небольшую площадь. Мальчишки и девчонки болтались без дела дни напролет, потому что из-за войны уроков не было. Небрежно прислонившийся спиной к дереву белобрысый парень, пе-

---

[1] Мф. 10: 16.

рехватив пониже головы, вытащил из кармана пальто гадюку. Вынув изо рта зажженную сигарету, он сунул ее в пасть змее. Сцена вызвала восхищение девочек, которые с чувством ужаса, смешанного с удовлетворением, старались не пропустить ничего из того, что делает белобрысый. Но когда со звуком разорвавшейся петарды лопнула другая змея, раздутая табачным дымом, который она не могла выдохнуть, все втянули голову в плечи.

— Зачем они это делают?

— Дети... Играют... А что бы ты хотел, чтобы они делали?

— За что они так со змеей? — спросил наивный поваренок.

— Потому что из-за нее Господь изгнал нас из рая!

— Но и змея там не осталась! — возразил Коста, вспомнив слова своего деда.

— Точно! Последовала за нами.

— Если ребята будут мучить их, этому конца не будет!

Коста отправился в казарму, терзаясь вопросом о рае и аде и размышляя о том, куда попадет он сам, когда наступит момент.

«Есть ли у меня шанс попасть в рай?» — думал он, когда мимо его головы просвистела выпущенная снайпером пуля.

Стоило только Косте высунуться из-за угла на улицу, по которой он собирался идти, как другая пуля задела его и оторвала ему мочку уха! Он сразу упал и попятился на четвереньках, чтобы подобрать ее. В казарму он пробрался ползком. Свет погасили, и спальня была погружена во мрак; Коста достал чистое полотенце и перевязал то, что осталось от уха.

Ночью Коста смотрел в окно, на ослепительные вспышки снарядов; иногда перед глазами возникала крепкая фигура доящей корову красавицы, и это радовало его. Он моргал, вглядывался в свое видение, улыбка девушки согревала ему душу, прогоняла страх, играла с ним, точно поднимающий столбики пыли ветерок. Всякий раз, как зарево от снаряда освещало спальню, эта великолепная женщина представала перед Костой в новой позе. Он держался за ухо и думал, что такие фантазии облегчают боль.

На рассвете, воспользовавшись перемирием и отсутствием снайперов, Коста двинулся в путь. На каменистом подъеме он оседлал осла, держа в руке завернутый в чистое полотенце кусочек уха. Выбравшись на дорогу, он спешился и пошел, глядя под ноги в надежде увидеть змею. Прежде чем спуститься по склону, ведущему в соседнюю деревню, куда он направлялся, Коста остановился, спрятался за большим валуном, оглянулся и, наклонившись, принялся разглядывать землю, по которой только что прошел. К своему удивлению, он снова увидел змей!

— Ждут, чтобы им дали молока, — объяснил он ослу.

— Никогда такого не видел! Настоящее чудо! — отвечал тот.

— А? Я не ослышался?

— Нет.

Коста ни на мгновение не усомнился, что осел разговаривает с ним.

Злющей мегеры не было, и из дому вышла Млада, чтобы взять фляги. Коста развернул полотенце и показал ей кусок уха. Млада испуганно перевела взгляд на луг и пасущихся на нем овец.

— Подождем старуху. Она пошла на базар продавать молоко и сыр, — пояснила она.

— У тебя найдется иголка с ниткой?

— Да.

— Прокали иголку над огнем, чтобы не было заражения. И принеси ракии!

Млада мгновенно повиновалась. Коста подтащил к колодцу стоящий возле дома кухонный стол и улегся на него, опершись головой о колодезный выступ.

— Повернись на живот, — сказала Млада.

Он тотчас послушался.

«Она не должна заметить, что мне больно», — подумал Коста.

— Так удобнее шить, — согласился он, понимая всю бессмысленность разговора.

Млада промыла остаток уха ракией. От боли у Косты выкатилась слеза и упала в колодец. Коста проследил ее падение до самого дна, потому что это помогло ему утаить от Млады, что ему больно. Когда капля коснулась поверхности воды, он улыбнулся. Млада как раз сделала первый стежок, приладила мочку на место. Коста не сводил глаз со дна колодца. С того места, куда упала слеза, взлетела белая бабочка. Едва коснувшись воды, она начала постепенный подъем из глубины, чтобы в конце концов устроиться на плече Косты. Млада закончила шить.

И снова Коста уселся на осла задом наперед с полными флягами, а на сей раз еще и с перевязанной головой. Он смотрел на оставшуюся в одиночестве Младу. Она двумя руками удерживала собаку и не могла помахать ему. А это было бы так естественно для безумно влюбленного человека, на что ясно указывало выражение ее лица.

Грунтовая дорога, пользоваться которой осмеливались лишь змеи, Коста и его осел, была пуста. Исчезли даже орлы, обычно парящие над ней. Коста замедлил шаг, успокоил своего скакуна, набрал полные пригоршни молока. Словно деревенский сеятель, выплеснул молоко на дорогу. Почему, он и сам не понял, но это движение вернуло ему спокойствие, и на лице засияла улыбка. Он знал, что зарождающаяся любовь станет безудержной. Показался край плоскогорья, потом появился спуск к Увийеце. Коста устроил привал. Бинокль ему не понадобился. Некоторое время Коста сидел, повернувшись спиной, потом оглянулся. Без всякого бинокля он увидел, как змеи — теперь их уже было пять — пьют молоко. Одна, самая большая, только что выскользнувшая из камней, сильно отличалась от остальных. Косту поразила ее голова.

На подступах к деревне стояла тишина. Вдали слышались редкие залпы неприятельской армии. Окопавшись в лощине, артиллеристы постреливали из старой пушки, а защитники Увийеце наносили ответные удары по лагерю противника. Коста подошел к кухне с черного хода, разгрузил осла и опорожнил фляги. Почти невидимые в облаках пара поварята ворочали в котлах огромными ложками. Один из них помахал, чтобы привлечь внимание Косты, и вытащил из кармана деревянную губную гармошку:

— Послушай-ка!

Парнишка заиграл. Окутанный облаками пара, он вдруг показался Косте свободным от бремени войны пришельцем из иной реальности. Он так виртуозно вел мелодию, отбивая такт ногой и сопровождая ее движением всего тела, что присутствующим казалось, будто перед ними исполняют современный танец. Сперва Коста тоже отбивал такт ногой, потом вытащил казу и принялся на своей дудке наигрывать знакомый мотив. Неожиданно сцена превратилась в цирковой номер, и под грохот пушек в заполненной паром кухне началось веселье.

Той же ночью на смену взрывам снарядов пришел первый осенний дождь; он лил без передышки. Плохая погода на время прервала войну. По утрам деревенские женщины ходили на виноградники собирать урожай, а потом сразу наполняли чаны спелыми гроздьями. Завершив эту работу, они ногами давили виноград, пока мужчины готовили жбаны для вина. Это был единственный признак наступившей осени.

С первыми лучами зари Коста и его осел отправились в деревню за молоком для защитников Увийеце. Коста смотрел в землю перед собой. Загадочная улыбка позволяла предположить, что он знает, что змеи уже поджидают его на пути.

Поднявшись на взгорок, он поискал глазами Младу. Тщетно. С молоком утренней дойки его поджидала старуха!

Она недружелюбно взглянула на парня.

— Вы сегодня одна? — спросил Коста.

— Да!

— А Млада где?

— Вернулся Зага, мой сын. Так что теперь даже не думай! Они давно не виделись!

— А, ну ладно.

— Забирай молоко и убирайся! И попусту не оборачивайся!

Пока старуха переливала молоко из ведер во фляги, в зарешеченном окне мелькнуло лицо Млады. Девушка смотрела на Косту. Она была печальна, но казалась еще краше, чем прежде. «Это потому, что она за окном? Или стекло смягчает черты лица?» — размышлял Коста, уверенный, что созерцает вечную красоту. Дыхание его участилось, лицо осветилось улыбкой. Поймав взгляд Млады, молодой человек браво подкрутил ус и ушел. Его провожали суровый взгляд старухи и улыбка Млады. Стоя за окном, девушка не сводила с него глаз. Когда Коста вышел на плоскогорье, где хозяйничали змеи, ему вспомнилась мелодия, которую накануне вечером играл поваренок. И он, вертясь и подпрыгивая, пустился в пляс. Достав казу, Коста сыграл песенку поваренка. А затем, не прерывая танца, полными горстями налил молока змеям.

— Змеиная дорожка! — в полный голос провозгласил он.

Когда Коста с легким сердцем подошел к склону, змеи не показались ему такими маленькими, как в первый раз.

— Никогда такого не видел! — сказал осел. — Настоящее чудо!

— Что ты сказал?

— Никогда такого не видел! Настоящее чудо!

По возвращении в деревню Коста глазам своим не поверил. Он был всего лишь экономом и не очень-то смыслил во фронтовых делах. Но сегодня гитары заменили ружья, контрабас и барабаны вытеснили пушки, играл скрипач, вертя во все стороны свой инструмент. Довольные крестьяне и солдаты хлопали в ладоши, а один солдат размахивал пилоткой, вместо нее водрузив себе на голову шляпу.

— Победа! — кричал он. — Ну и задали мы им жару!

На освещенной фонарями деревенской площади все, стар и млад, праздновали победу. Коста подошел к кашевару:

— Как это? Вот так, вдруг?

— Да, так. Вот так, вдруг! Но, дружище, мы же целый год были в осаде! Это победа! Наши оттеснили их к морю! Сдались все, до последнего пехотинца-голодранца!

«Раз война закончилась, я больше никогда не увижу Младу», — подумал Коста.

Он сдал молоко на кухню и украдкой ускользнул из деревни. Мог ли он поверить, что никогда больше не встретится с ней?

Когда Коста пришел на главную площадь Увийеце, праздник был в полном разгаре. Оркестровая музыка и пение сплотили крестьян и солдат. Небо раскалывалось от криков и салюта, меланхолические словенские напевы смешивалась с победными возгласами. Деревенские образовали круг и танцевали, положив руки друг другу на плечи. Вклинившись между двумя солдатами, Коста присоединился к ним.

Ностальгические пение перешло в коло[1], разрослось, выплеснулось за пределы площади. Ненадолго объединило все улицы, все дома Увийеце. От теплой почвы Герцеговины по ногам танцоров прошел какой-то ток, жар устремился по цепи, составленной из обжигающих рук десятков человек, превратившихся в единое существо, разгоряченное одной кровью, двигающееся в едином ритме. Коста целиком отдался танцу, но вдруг почувствовал головокружение и поднял глаза к небу, словно надеясь увидеть там Младу.

Небо как будто вняло его мольбе: он различил девушку в толпе. Она плясала коло с незнакомцами. Млада тоже заметила Косту. Он стал пробиваться к ней. Она опустила глаза, боясь показать, как ей нравится танцевать. Коста не колебался: они взялись за руки, и он впервые поймал ее любящий взгляд.

— Старуха лжет. Зага не вернулся.

— Знаю.

— Я не люблю его.

— А кого же ты любишь?

---

[1] *Коло* — сербский народный танец, напоминающий хоровод (коло — общеславянское слово со значением «круг»).

Млада коротко вскрикнула, потому что Коста вдруг выскочил из толпы танцующих и на радостях совершил два опасных кувырка, вперед и назад.

У Косты было тихо. Едва слышались последние звуки пения, через раскрытое окно смутно доносились голоса пьяниц, и видно было, как в небе, словно падающие звезды, вспыхивают огни победного салюта. Млада медленно разделась. Коста оказался быстрее. В проникающем из окна свете они смотрели друг на друга. Их губы уже готовы были слиться, когда треснуло стекло. В спальню ворвалась старуха со старинным пистолетом, кубурой, в руке:

— Может, для тебя война и закончилась, но для меня — нет!

— Я не вернусь!

— Вернешься, потаскуха! Тебя жених ждет!

— Все ты врешь, старая шлюха!

— Я не вру! Ты вернешься, или я пристрелю тебя!

— Нет!

Старуха вытащила старый пистолет, которым грозила Косте. Обезумев от страха, Млада бросилась бежать через груды щебня. Старуха за ней. Коста кинулся следом, на бегу натягивая штаны и рубаху. Он без труда вскарабкался по каменистому склону и увидел, что старуха вот-вот схватит Младу. И резко остановился, когда старая карга направила на него свою кубуру:

— Назад! У нее есть муж!

Тут Коста впервые осознал, что мог бы отдать жизнь за Младу. Чувства подсказывали ему, что в его любовной истории появилась неожиданная подробность. И он спокойно повернул назад.

В деревне продолжалась попойка. Вдруг луна осветила силуэты десяти вражеских солдат. Мягко ступая, они по очереди скользнули в окоп. И без труда устранили первого часового! В тот разудалый вечер никто не расслышал его крика, никто из крестьян не увидел, как так же бесшумно были задушены еще трое часовых. Да и как они могли? Деревня по-прежнему, со все нарастающим шумом, весело праздновала победу.

Утром Косте пришлось навьючивать осла.

Повсюду виднелись следы вчерашнего гулянья. Кашевар встал и, как всегда, улыбался. Когда Коста пришел за флягами, он прибирал в кухне.

— Еще день-два, и это тоже станет историей, — заметил он.

— Не говори так, прошу тебя!

— Война окончена, мой мальчик. Подписано международное соглашение. Прощай, армия, и да здравствует жизнь!

На знакомой до последнего камешка дороге Коста заприметил змей, одна из которых была особенно хороша. Он знал, что теперь их ждут с большим нетерпением: его и молоко.

Коста осторожно вошел в деревню. Когда он привязывал осла и снимал фляги, из хлева после дойки вышел Зага. Он дружески протянул Косте руку, и тот в растерянности пожал ее, виду не подав, как мучительно ему это знакомство.

— Зага Божович?

— Откуда ты знаешь?

— Кто не знает Загу Божовича? Воин, герой!

Визжа тормозами, возле дома остановился грузовик Тамича, и двое парней, махнув Заге в знак приветствия, бросились вынимать из кузова столы и стулья.

— Готовитесь к славе?

— Нет, приятель, к свадьбе! Моей! Семь лет она ждала, пока я не вернусь с фронта!

«Неустанно», — про себя добавил Коста, пытаясь избавиться от кома в горле.

Но солдат Коста не сдался и сумел скрыть свою боль под еще более широкой, чем обычно, улыбкой. А кровь молниеносно разнесла его страдание по всему телу.

— Поздравляю. А где Млада? — спросил он.

— В Требинье. Мать повезла ее купить свадебное платье.

— А твой костюм уже готов?

— Фирменный. Купил в дьюти-фри Абу-Даби. Супер!

Коста двинулся обратно в Увийеце. Обернувшись, он заметил, что на столах перед домом уже разостланы свадебные скатерти, а лампы вставлены в патроны. Он надеялся разглядеть среди людей Младу. Он все видел, все слышал, но не мог убедить себя в том, что его роман и вправду окончился. К тому же окончание войны и его поразительное празднование в деревне сделали Косту очень недоверчивым. Он верил, что еще встретит Младу, и улыбка на лице была тому доказательством.

Только ступив на Змеиную дорожку, Коста позволил себе подумать о том, что никогда не увидит Младу. И он заплакал. Подавленный, с низко опущенной головой, он не спешил вернуться в Увийеце. Слезы капали на землю. Вдруг со стороны деревни послышался сильный взрыв. Коста бросился бежать, споткнулся и упал. Едва оказавшись на земле, он увидел, что его ноги тугими кольцами стягивает змеиный хвост. Он не мог пошевелиться: змея обвилась вокруг него. Встревоженный, он принялся вырываться, пытаясь высвободиться. Тщетно. В самые худшие моменты жизни Коста всегда умел сохранять ясную голову. Но сейчас ничего не получалось, он стал пленником, как бывает во сне, когда силишься и не можешь сделать ни одного движения. Скованный неведомой силой, он подумал, что его нынешнее неловкое положение ужаснее всех мыслимых кошмаров самых страшных снов. Каждый его сустав словно был зажат струбциной, а сам он чувствовал себя, как в тисках краснодеревщика. Впервые в жизни он ощутил все, до последней и самой крошечной, кости своего скелета. Он был абсолютно беспомощен, не способен ни на миллиметр сдвинуть руку или ногу. Он бы все отдал, лишь бы высвободиться из змеиных объятий!

«Так тебе и надо, — подумал он. — Никто не платит добром за добро».

И все же ему удалось наконец опереться на пятки, выпрямиться, перевернуться через себя вместе со змеей, по-прежнему обвивавшей его. Они вместе скатились с холма и остановились возле большого валуна. С ужасом, близким к благоговению, Коста рассматривал голову рептилии. В ожидании укуса он чувствовал, как кровь стынет у него в жилах. Все части его тела, вплоть до самых маленьких, коченели одна за другой. Вдруг ему показалось, что змея ослабила хватку. Он взглянул на ее голову и оцепенел: она оказалась больше его собственного кулака! Змея лизнула его. Замерев, Коста ждал укуса. Внезапно его осенило: почувствовав, что зажим ослабел, он сделал резкое движение, стараясь высвободиться. К несчастью, змея мгновенно отреагировала и сжала его еще сильней. Коста опять принялся извиваться, на сей раз уже без опаски, потому что теперь он больше не боялся умереть. Он со стоном ворочался то влево, то вправо, стараясь высвободиться. Его конечности были парализованы, шейные жилы вздулись, брюшные мышцы сокращались, словно его рвало. Единственное, чего ему иногда удавалось добиться, — это ненадолго уменьшить контакт своего тела с туловищем змеи, всего на несколько секунд, после чего леденящие объятия смерти снова смыкались. Все тепло ушло из его тела: змея полностью поглощала то, что кровь все еще разносила по венам. С каждой секундой, миллиметр за миллиметром, силы покидали его. И все же Коста слышал, как в районе Увийеце затихают взрывы. И он с покорностью умирающего отдался во власть змеи. Его инертность и мокрые от слез глаза были началом конца. Его ноздри уловили запах пожара.

Невзгоды Косты достигли пароксизма; он уже не знал, что делать, разве что в знак прощания с жизнью расплыться в последней улыбке. И вдруг произошло самое неожиданное: так же быстро, как обвила его, змея высвободила Косту из своих колец и уползла, так что он успел заметить лишь мелькнувший за большим валуном конец ее хвоста. Коста не мог опомниться. Он поднялся с земли и поочередно ощупал все части своего тела, чтобы убедиться, что до сих пор жив. Ведь еще мгновение назад он прощался с жизнью.

Коста спустился с холма и пошел в сторону казармы, но, увидев густое черное облако, замер на месте. Его деревня горела. К небу поднимались столбы дыма. Он бросился в хлев и наткнулся там на тела повешенных солдат. Когда он обнаружил валяющуюся на столе отрезанную голову поваренка, его вывернуло наизнанку. На деревенской площади, где накануне все шумно праздновали победу, был распят на кресте ребенок, а кашевар и его подручные за ноги подвешены на металлических крюках. В слезах Коста рухнул на колени.

«Змея спасла мне жизнь! — пришло ему в голову. — Но кто мне поверит?»

Всхлипывая и дрожа, Коста взбежал по крутой тропинке, нашел осла, отвязал фляги и вылил все молоко на Змеиную дорожку. Не переставая плакать, он, один за другим, стал приподнимать камни, все подряд: большие и маленькие. Ему хотелось найти змею, которой он был обязан жизнью. Внезапно его сознание пронзила мысль, что Млада жива. Эта надежда придала ему сил.

II

Когда Коста пришел в деревню, взгляд его затуманивали надежда и страх. Он приготовился посмотреть Младе в глаза, сказать ей «прощай»... Но то, что он увидел... были обугленные тела сидящих за свадебным столом сотрапезников, словно застигнутых внезапным извержением вулкана... Они замерли в естественных привычных позах. С бутылкой в руке на Косту пустыми, как у привидения, глазами на обожженном лице смотрела старуха-мать. Молодой муж замер, поднимаясь со стула. Похоже, нашелся кто-то попроворней и похитрей Заги Божовича. Известный на тысячу верст вокруг солдат-наемник так и остался сидеть с дыркой в голове, — по всему видать, работа профессионала. Кто-то пришедший издалека отомстил за себя.

Коста толкнул ногой дверь. Кухня была пуста. Он поднялся на жилой этаж. Никого. Только ставень бился на ветру. Вдали какие-то голоса... Коста торопливо вскарабкался по лесенке на чердак. Сначала он ничего не видел, потом сквозь разошедшиеся доски разглядел рыскающих во дворе троих вооруженных автоматами и ножами солдат. Один из них, самый приземистый, — как их различить, все в балаклавах, — поджигал сарай, двое других направлялись к хлеву. Вдруг самый высокий покосился на дом, и Коста втянул голову в плечи. Он поспешно спустился на первый этаж; его жизнь держалась на волоске, и он это знал. Необходимо срочно найти надежное убежище. Теперь голоса звучали совсем близко. Он уже собрался было выскользнуть во двор, как вдруг до его ушей донесся сдавленный зов:

— Коста... Костаааа...

«Млада?» — подумал он, озираясь вокруг.

— Коста... Костаааа...

И снова ему показалось, что он слышит голос Млады. От страха за девушку ему изменили все чувства, ему казалось, он плохо видит, ничего не слышит. Все вокруг исказилось, стало ненадежным, вызывало недоверие. Время, пространство вдребезги разлетались перед ним, невидимая сила превращала в отчаяние все, что он видел и слышал... Его собственные мимолетные мысли падали лохмотьями, отнимая способность дышать, лишая воли.

«У меня галлюцинации», — подумал он и тут же услышал стук сапог и металлическое позвякивание, сопровождающее чей-то размеренный шаг и делающее его особенно зловещим. Он попятился, его страх перед солдатами нарастал, но голос женщины по-прежнему был явственно слышен. Млада звала его, теперь он был в этом совершенно уверен. Коста еще отступил, уперся в стенку колодца, заглянул внутрь и увидел Младу. Он тут же принялся крутить колодезный ворот, поднял бадью, уселся туда и начал спускаться, руками стараясь сдержать скорость падения. Но, услышав, как переговариваются солдаты, отпустил веревку и стал стремительно падать — это был единственный способ избежать смерти. Коста с шумом нырнул в воду, а когда выбрался на поверхность, Млада вцепилась в его ремень, чтобы удержать под водой. Он обнял молодую женщину, она с опаской показала пальцем вверх, потом разломила надвое длинную соломинку, чтобы каждый мог дышать под водой.

Вдруг над ними возник силуэт бабочки: той самой, что провожала слезу Косты, когда Млада пришивала ему ухо. Спрятавшиеся в колодце люди угомонились, и она полетела к свету. А в круглом проеме, словно в зеркале, вместе с ней четко вырисовывались лица троих солдат, склонившихся над водой. Коротышка просунул свое ружье в отверстие колодца и выстрелил очередью.

Бабочка прекратила свой полет, прижалась к стене. Млада оттолкнула Косту, и пули прошли между ними, завершив свой путь на дне, среди невинных мелких камешков. Солдаты немного подождали, рассчитывая увидеть всплывающий труп, а бабочка возобновила свой спиралевидный полет к свету. Поднявшись к солдатам, она, словно желая их подразнить, принялась порхать над их головами. Потом уселась на колодезный ворот, и все трое, как один, повернулись и уставились на нее. Помедлив немного, она снова завертелась в воздухе, точно заигрывала с ними. Верзила хотел прихлопнуть ее ладонями, но промазал. Бабочка присела на каску коротышки. Тогда солдат среднего роста медленно занес руку и сильно врезал по каске недомерка... Опять промах!

Теперь бабочка перелетела на голову самого высокого. Тот, что среднего роста, улыбался, глядя, как она с ними резвится, и вдруг подпрыгнул, чтобы расплющить ее в лепешку. Безуспешно. Зато вывихнул себе лодыжку! Коротышка попробовал схватить бабочку пальцами за кончики крыльев. Снова промах! Все трое сцепились, подгоняемые единым воинственным духом, стали пихать и толкать друг друга, а бабочка расположилась на каске самого миролюбивого: того, что среднего роста. Недомерок стащил свой головной убор и что есть силы саданул им по каске товарища. Солдаты переглянулись. Средний в ярости отвесил коротышке солидную оплеуху, а верзила бросился вдогонку за бабочкой, которая полетела куда-то в луга.

Всякий раз, как она присаживалась на очередной цветок, солдат был уверен, что теперь-то прибьет ее, но снова и снова промахивался. В какой-то момент он подпрыгнул, завис в прыжке, словно вратарь, и еще в воздухе сжал кулак, уверенный, что для бабочки этот полет стал последним. Но когда он, торжествуя, раскрыл ладонь, бабочка упорхнула. Все это время двое других солдат сводили счеты, дело дошло даже до кулаков.

— Ты чего по мне врезал?

— Не по тебе, а по твоей каске!

— Нет, ты меня ударил! А меня никто не смеет бить!

Пока наемники отгоняли бабочку, Коста и Млада выбрались из колодца. Они переглянулись, улыбнулись и решили пробраться за дом, а оттуда бежать через поля. Спеша укрыться в виднеющемся вдали лесу, Коста и Млада пересекли бугристый луг. К несчастью, двое дерущихся солдат в конце концов их заметили. Они сразу надели каски, подхватили ружья и бросились в погоню. Увидев, что его товарищи куда-то помчались, верзила, все еще отбивавшийся от бабочки, сбегал за своим ружьем и присоединился к ним. Усевшись среди целебных трав, насекомое наблюдало за разъяренными людьми.

В лесу Млада и Коста поняли, что здесь их спасение. Коста различил отныне такое знакомое позвякивание, сопровождавшее топот солдатских башмаков. Отыскав дерево с особенно густой кроной, Коста подсадил Младу к себе на плечи, чтобы она могла подтянуться и первой усесться на толстой ветке столетнего платана. Сам он подпрыгнул, подтянулся и устроился рядом с девушкой. Когда прибежали солдаты, Коста и Млада уже были под надежной защитой листвы.

— Мы их видим, а они нас — нет, — шепнул Коста, когда солдаты остановились прямо под деревом.

Устав от погони, наемники опустили ружья на землю и прислонились к стволу.

— Есть тут поблизости вода? — спросил верзила.

— Вон там. — Коротышка махнул рукой в сторону ручья.

Они сняли балаклавы; сверху различить их черты было невозможно. Млада потянулась, стараясь прильнуть щекой к щеке Косты. Подошва заскользила по гладкой коре. Кто знает, что могло бы произойти, если бы Коста не обхватил ее за талию? Так они и замерли, тесно прижавшись друг к другу. Млада испуганно взглянула на Косту, тот нежно приложил свой палец к ее губам. Тут один из солдат задрал голову к верхушке дерева.

— Не волнуйся, он нас не видит... — сказал Коста. — Просто смотрит на небо, чтобы понять, идет ли дождь...

И правда, начался дождь.

— Бежим! — крикнул коротышка. — Гроза собирается!

И они помчались, чтобы успеть укрыться от дождя. Прогремел гром, небо пронзила молния, за ней еще одна. Нахлобучив на головы каски, трое солдат со всех ног бросились бежать через лес. Принесенный шквалистым ветром дождь лил как из ведра. Выскочив из леса, маленький солдат указал на пещеру на берегу озера и увлек товарищей за собой. Они быстро обогнули озеро, едва избежав молнии, ударившей в одинокие деревья, и добрались до пещеры, за которой расстилалось горное озеро.

Небо раздирали грозовые сполохи. Младу била дрожь. С ее страхом могло сравниться разве что смятение, которое девушка испытывала подле Косты. Всем своим существом она ощущала огромное одиночество, ведь у нее больше никого не осталось, и теперь Млада полностью отдалась во власть Косты. В соседнее дерево ударила молния, и оно загорелось.

— Коста, мне страшно...

— Не бойся. Молния не срывает зло на крапиве!

Небеса словно разверзлись, ливень стоял стеной. Сплетясь в любовном объятии, Коста и Млада неподвижно, точно прикованные, оставались сидеть в кроне платана. Скрытые листвой, тесно прижавшись друг к другу, они сознавали, что всякое неосторожное движение может оказаться для них роковым. Их объятия становились все жарче, и все же в конце концов они обменялись удивленными взглядами. Дождь не ослабевал, время от времени вспышка молнии освещала их сплетенные тела, а крупные капли текли по лицам, выражение которых свидетельствовало о незаурядной любви.

Наступило утро. В небе не осталось ни единого облачка. Над верхушкой платана пролетела стая диких уток. Коста снял с Млады нейлоновые чулки. Первым чулком он перетянул ее талию, привязав одним концом к стволу, — спускаться по скользким веткам было невозможно. Проверив крепость узлов, он то же самое проделал со вторым чулком. Млада зажмурилась, и оба прыгнули в пустоту. О чудо! Они коснулись земли! И благодаря эластичности чулок тут же снова подскочили вверх, радуясь, точно дети в парке аттракционов. Вверх-вниз, вверх-вниз, вверх-вниз!

Около полудня они подошли к домику у кромки горного озера. Коста постучал в дверь. Никто не ответил.

— Есть кто-нибудь? Мы умираем с голоду! — весело прокричала Млада.

Убедившись, что дом совершенно пуст, они пошли в огород за тыквой. А потом побежали к озеру; Коста нырнул первым. Они, словно дети, некоторое время развлекались тем, что по очереди топили тыкву, которая тотчас же всплывала на поверхность. Сначала Млада, за ней Коста.

Вдруг со стороны леса защелкали выстрелы. Коста и Млада что есть мочи бросились бежать по отмели. Свистели пули; стреляли трое засевших в лесу солдат. На другом берегу озера Коста заметил в скале глубокую расселину с водопадом. Держа Младу за руку, он размышлял, каковы их шансы остаться в живых, если они прыгнут в эту расселину, на вид больше ста метров глубиной. Но времени на раздумья не оставалось: стрельба у них за спиной возобновилась. Пули падали в воду совсем рядом с ними. Коста обнял девушку за талию и вместе с Младой бросился вниз. Будто подгоняемые дьяволом, они оказались на воздушной подушке, в свободном полете, и само это падение в пропасть вызывало у них восторг! Их тела поворачивались во все стороны, как в невесомости; они поочередно обгоняли друг друга, а падение все не кончалось. И они поняли: «падать» может также означать «лететь». Еще три оборота вокруг себя, и оба легко погрузились в глубокое и прозрачное озеро у подножия водопада. Какое-то мгновение они искали друг друга под водой, потом крепко обнялись и всплыли, слившись воедино. Цепляясь друг за друга, они видели, как мимо проплыла змея и исчезла в глубине.

— Человек еще не рассчитался с ними, — произнес Коста, указывая на змею.

— Мне страшно...

— Бояться надо тех, наверху. А опасаться змей нет никакой причины.

— Как это? А кто довел до греха Адама и Еву?

— Да, но змея не осталась в раю, она покинула его вместе с нами.

— Это ты, Коста, не рассчитался!

Снизу стоявшие у края расселины солдаты казались не больше муравьев. Они не осмелились заглянуть в пропасть, а уж тем более прыгнуть. Чтобы решиться на это, надо быть влюбленными.

Коста и Млада снова погрузились в воду, поплыли к другому берегу озера, более безопасному, и вынырнули возле скалы. Улыбающиеся, но встревоженные, они подняли голову и посмотрели на вершину водопада: солдат там уже не было. Парень и девушка скинули одежду, развесили ее по кустам и, не думая больше о своих преследователях, стали наслаждаться красотой сияющего дня и плавать. Млада вынырнула первая и, совершенно счастливая, выбралась на скалу. Она смотрела, как Коста плавает под водой, выныривает, отдыхает под скалой. Девушка радостно вскрикнула, когда спустя несколько секунд он появился, зажав в руке лосося. Рыба билась, стараясь вырваться. Коста ловко ударил ее о камень, и она тотчас перестала трепыхаться.

Скрытые струями водопада, точно завесой, отделившего их от враждебного мира, они утолили свой голод рыбой, а потом отдались энергичному водному массажу. Коста не упускал из виду лес и доходившую до горы равнину. Вскоре слева появились солдаты.

Коста поспешно увел Младу в равнину, которая простиралась до горных отрогов с заснеженными вершинами. Там паслись сотни овец. Неожиданно совсем близко раздалось зловещее металлическое позвякивание. Млада и Коста бросились в гущу стада и присели на корточки. Солдаты уже выбежали из окаймлявшего озеро леса и внимательно вглядывались в даль.

Млада легла на землю и в испуге крепко прижала к себе овцу.

— Беее, — разнеслось по равнине.

Солдаты тотчас насторожились.

Один из них, увидев вдали хижину, бросился бежать, но попал на минное поле и, не успев произнести ни единого слова, взлетел на воздух! Самые закоренелые убийцы тоже боятся смерти — не чужой, своей собственной. В ужасе от случившегося с их главарем двое других остановились как вкопанные и стали медленно отступать к одинокому дереву на противоположном краю равнины.

Коста на четвереньках прополз среди животных в поисках Млады — стадо оказалось для беглецов лучшим из всех возможных укрытий.

Лежащий ничком Коста знал, что все в жизни — вопрос времени, но он также понимал, что это укрытие всего лишь временное. Когда он приподнял голову над овечьими спинами, один из солдат, тот, что осматривал окрестности в бинокль, выстрелил. Коста тут же спрятался в укрытие. Одна овца упала.

— Млада! — закричал Коста, озираясь в поисках молодой женщины.

— Коста! — тотчас откликнулась она.

Он поднялся и сразу понял, как им спастись. Снова встав на четвереньки, он собрал с десяток овец, которые принялись бесцельно слоняться, создавая бреши в стаде. Солдаты бросились вперед, теперь стали отчетливо слышны их голоса. Коста проскользнул среди животных и нашел Младу. Она вскрикнула от неожиданности. Он кивком указал ей направление, куда двигаться.

Они почти выбрались из стада, солдаты держали дистанцию примерно в сотню метров, и Коста оказался совершенно незащищенным. Он принялся лаять, как шарпланинская овчарка; согнувшись пополам, он повел стадо к минному полю. Как на картине, иллюстрирующей конец света, агнцы выстроились на заклание. И один за другим приводили в действие мины. Разодранные в клочья животные взлетели в воздух и открыли путь для Косты и Млады, которые тоже фигурировали на этом инфернальном полотне. Взявшись за руки, с залитыми кровью лицами, они пробежали сквозь тоннель плоти, глаз и рогов, и оба думали лишь об одном: перед ними разверзлись врата ада. Наконец стихли последние взрывы, и небо утратило цвет крови и плоти.

Внезапно перед ними открылась просека. На какое-то мгновение им показалось, что бедные агнцы проложили им путь к свободе. У края просеки стояли двое солдат. Парализованные ужасом, они не могли сделать ни шага. Беглецы смотрели на своих преследователей, а те — на них. Шах и мат... всем четверым! Каждый следующий шаг приведет в верной смерти. Казалось, одна Млада спокойно принимает свою участь. Она хотела спасти жизнь Косты. До леса было недалеко, она развернулась и бросилась бежать зигзагами. Трое мужчин оторопело следили за ней взглядами. Один из солдат вскинул ружье, но не успел сделать и шага, как под ногами у него разорвалась мина. Млада даже не обернулась. Другой солдат, стоящий спиной к Косте, тоже прицелился в девушку. Коста подпрыгнул, обрушился на него сзади, и тот напоролся на собственный нож. Из его горла брызнул фонтан крови и залил Косту, который тут же вскочил.

— Млада! — крикнул он. — Все кончено! Мы спасены!

И Млада остановилась.

Они посмотрели друг на друга. Коста махнул ей. Делая первый шаг ему навстречу, молодая девушка буквально замерла в воздухе, не понимая, как ей удалось пробежать через минное поле. Ее била дрожь: от радости, что она жива, и от ужаса, что она не знает, что еще может случиться. Она махнула Косте в ответ. Вытянув руки перед собой, он поводил ладонями вправо и влево. Без единого слова. Так он сообщал ей, чтобы она не отклонялась ни в ту ни в другую сторону. Она улыбнулась и испугалась еще больше. Млада кивнула, чтобы успокоить Косту, и засмеялась.

Коста издали повторил ее движение.

— Любовь моя, не двигайся! Не двигайся... я иду!

Она не расслышала. Радуясь, что преследование закончилось, она направилась к пню, чтобы присесть на него и отдохнуть, поджидая Косту. И, сделав первый шаг, встретила свою судьбу, явившуюся к ней на свидание. Прямо под ее ногами взорвалась мина и искромсала девушку в клочья. Словно перед чудовищной картиной конца света, Коста задрожал, рухнул на колени и воздел глаза к небу и к Богу.

III

Ни птичий щебет, ни колокольчики овец, спешащих с одного края пастбища на другой, ни даже лай стерегущих стадо и бегающих во все стороны собак — ничто не могло разбудить брата Косту. При первых лучах зари он уснул, повинуясь неписаным законам своей жизни и перенесенных страданий. Всякий раз, как усталость смежала его веки, он ненадолго засыпал, но так глубоко погружался в кошмарные сновидения, что, очнувшись, был совершенно не способен описать их. Он вскочил, только когда в его дверь толкнулась коза.

В печи снова занялся огонь, потому что порыв воздуха из открывшейся двери оживил головешки, оставшиеся от дров, которые Коста подбросил, прежде чем прилечь. Поднявшись, он увидел в окно, что солнце уже заливает возвышающуюся над равниной гору. Три пса резвились с овцами, пытаясь собрать их вместе; схватив кувшин с водой, Коста сполоснул лицо. Он перекрестился перед иконой святого

Саввы и трижды коснулся лбом каменного пола. Затем прикрепил к поясу штанов веревку, пропущенную через торчащий из стены крюк, и стал крутиться вокруг своей оси, пока она равномерно не обвила его до шеи.

Утреннее солнце еще больше подчеркивало белизну герцеговинского камня, из которого были сложены дома в Увийеце. Заброшенная деревня не производила впечатления фантома, как часто бывает с поселениями, где больше никто не живет. Некогда здесь жили три сотни душ, теперь же остался один овцевод, который делал и возил на базар в Требинье сыр. Он с пастбища поприветствовал Косту, который привел его козу, привыкшую получать вознаграждение — горсть кукурузных зерен — за то, что каждый день будила его. Судя по винограднику, отделявшему Увийеце от монастыря, это утро ничем не отличалось от прочих. Коста сорвал несколько гроздьев и сунул в котомку, понимая, что они станут единственной его сегодняшней пищей. Колокольный звон, который с приближением к церкви все настойчивее призывал к первым словам молитвы, прогнал озноб, вызванный утренней прохладой.

Коста поклонился образу Пресвятой Богородицы, выпрямился и тут же простерся перед Ней ниц. Предаваясь молитве, он ощущал, как исчезают сомнения, а вместе с ними его единственное наваждение: боязнь непредвиденного. Ему представилось, что лишь упорядоченная жизнь может оградить его существование от неожиданностей.

В церкви, лежа ничком и касаясь лбом нагретых палящим герцеговинским солнцем каменных плит, он терял счет времени. Тогда перед его внутренним взором появлялись милые образы прошлого, череда которых превратила его жизнь в житие мученика.

Присоединившись к рабочим, обтесывающим камень для предполагавшегося расширения монастыря, Коста уже размышлял о правильном течении нынешнего дня. Работа была его служением, не обременяла его, а эхо ударов зубила создавало приятную монотонность. Так он без усилий мог одолеть наступающий день. Коста поднял голову к вершине горы и ее пику, возвышающемуся над городом. Он смотрел туда взглядом человека, чересчур крепко побитого жизнью...

Он уже намечал новое восхождение, представлял себе образы, которым предстоит возникнуть, мысли уже уносили его туда, вверх. Когда монахи удалились перекусить и передохнуть, Коста стал набивать солдатский ранец обломками камней. Наполнив мешок доверху и закинув себе на спину, он наконец ощутил его подлинный вес!

В Требинье на рыночной площади безусые юнцы каждый день в один и тот же час лупили по мячу. С приходом Косты они прерывали игру, потому что знали, что он принес им гостинцы: сушеный инжир или несколько гроздьев сорванного возле монастыря винограда. Парни лакомились фруктами и смотрели ему вслед со смешанным чувством восхищения и удивления, но также и уважения, столь редкого для неугомонной городской молодежи.

Когда Коста ступил на плиты соборной площади, звонили колокола. Из церкви на паперть как раз выходило после церемонии свадебное шествие. На скамье курили, постоянно озираясь, словно настороже, двое парней с легким пушком на щеках и явно неблаговидными намерениями. Один из них поднялся и направился к памятнику и растущему возле выхода из сквера кустарнику. Оглядев приближающуюся процессию, он подал знак второму. Тот вытащил из-под скамьи картонную коробку, зажег три сигареты и, отмахиваясь от разъедающего глаза табачного дыма, вынул из коробки трех гадюк. Рептилии извивались блестящими телами, а он твердой рукой сжал им шеи и воткнул каждой в глотку горящую сигарету. После чего бегом бросился к выходу из сквера. Шествие медленно приближалось. Парень разложил змей таким образом, что новобрачные неизбежно должны были пройти мимо. И правда, первыми змею, больше напоминающую готовую лопнуть лягушку, увидели фотограф и аккордеонист. Когда змея взорвалась, молодая закричала, новоиспеченный муж прикрыл ей глаза ладонью. Тут же, точно петарда, хлопнула вторая змея. Крича, как подбитая птица, молодая женщина в слезах бросилась бежать к деревенской площади, свадебное шествие — за ней.

Размеренным шагом человека, несущего тяжкий груз, Коста подошел к реке. По большаку за гробом, поставленным на прицеп, который тянул трактор, медленно двигалась похоронная процессия. Позади нее останавливались и глушили двигатели автомобили. Вскоре на дороге образовалась длинная колонна, и Коста задумался, выказывают ли еще где-нибудь в мире столько почтения усопшим? Он остановился, легким движением приподнял тяжелую ношу на спине и передвинул режущие плечи лямки. Внезапно тишина была нарушена. На полном ходу колонну обогнала серая «лада» с зажженными фарами. Вся процессия молча провожала глазами пронесшийся, точно вихрь, автомобиль. Но тут водитель резко дал по тормозам, машина остановилась, и каждый мог разглядеть на заднем сиденье женщину, по всей видимости в родах, которая просила о помощи. Выйдя из машины, водитель подошел к какой-то женщине в трауре:

— Мара с вами?

— Там, в начале!

— Мне нужна помощь! Живой Ане до больницы не доехать!

Женщина кивнула в сторону головы процессии, и мужчина кинулся туда. Судя по жестам, та, другая, женщина в трауре знала, что надо делать. Проходя мимо гроба, оба перекрестились и скрылись в «ладе». Беременная корчилась, пытаясь смягчить боль, а водитель вышел и двинулся вдоль всей процессии до самого ее конца. Женщина в трауре вышла из машины с ведром, поспешно наполнила его водой и вернулась к роженице. Похоронная процессия удалялась. Роженица на заднем сиденье кричала все громче. Едва хвост процессии скрылся за виноградником, раздался писк. Появление нового обитателя города вызвало улыбку на губах Косты. Он пересек улицу и пошел по берегу реки.

Косту всегда восхищала большая мельница, зачерпывающая и выливающая воду концами своих лопастей. Он в очередной раз подумал о том, что круг — это совершенная фигура. Ведь и космос имеет форму круга? Ему представлялось, что и его собственное существование вышло из этой фигуры. Быть может, бескрайнее пространство — это в конечном счете обычный круг. Вопрос о том, существует ли что-нибудь вне этого периметра, продолжал донимать Косту, пока он шлепал по воде Требишницы.

«Как мне все просто дается, пока эта дорога ведет меня», — думал он, ступая по галечнику.

Добравшись до подножия горы, Коста знал, что битва только начинается. Он остановился и медленно, почтительно поднял голову к вершине. Он ощутил, как в его груди бьется сердце. В нетерпении Коста не мог дождаться мига, когда подъем разожжет в нем никому неведомую страсть. И он принялся карабкаться по горе, внимательно вглядываясь в скалистый склон у себя под ногами.

В течение последних десяти лет ему не удавалось оставить здесь четкого, незыблемого следа. Косту поражало, как косули прокладывают здесь зигзагообразный путь, как эти четвероногие стремительно и ловко взбираются на кручу. Останавливаясь, чтобы перевести дух, он всякий раз с досадой наблюдал, как две козы проворными прыжками обгоняли его, успевая при этом ощипывать листву с горных кустарников.

«Эх, — подумал он, — вот был бы я птицей! Или хотя бы козой!»

Козы скрылись, оставив за собой лишь треньканье колокольчиков. Звук постепенно исчезал, вскоре слышался только стрекот цикад. Стоило солнцу войти в зенит, их воодушевление тоже достигало апогея, и тогда казалось, что гора уже ничего не видит, а только слышит.

Коста разглядывал вершину. Он знал, что и на сей раз доберется до нее. Он не смотрел под ноги, частенько путающиеся в сутане. Достаточно самого незначительного камешка, чтобы он оступился и свалился вниз. Спотыкаться ему было привычно. При падении ему всякий раз приходилось переворачиваться вокруг своей оси, чтобы оказаться спиной к склону, и падать на набитый камнями мешок. Так и теперь; разве что, падая, он заметил двух охотящихся соколов. Будто какая-то игра; приятное видение, посланное ему небом; воскрешение воспоминаний и мечтаний, которыми была отмечена его жизнь. На глазах Косты выступили слезы, но он быстро справился с собой. Соколы растворились в небе над долиной.

«У меня нет времени плакать», — подумал он.

Потому что перед ним высилась скала, которую ему предстояло одолеть на четвереньках и не оглядываясь. Стоит обернуться, и камни в рюкзаке потянут его назад и он упадет. Ему не страшно умереть. Просто жаль, что тогда не удастся лишний раз взобраться на вершину горы. Только этот подъем до сих пор поддерживал равновесие его жизни. Из-за того что Коста слишком сильно наклонился вперед, камень, лежавший у него в мешке на самом верху, вывалился прямо ему на голову. Он сделал остановку не потому, что устал. Коста подождал, огляделся, ничего не увидел. Его лицо выражало удивление и нетерпение. Обычно в этом месте он встречался с красноватой змеей. Каждый день, в одно и то же время, она выползала, зная, что сейчас здесь пройдет Коста. И всякий раз своим присутствием напоминала Косте о событиях, перевернувших его жизнь.

Пока Коста удивлялся, что до сих пор не видит ее, чуть выше змея высунула головку из-за скалы. На мгновение мелькнул ее раздвоенный язычок, она медленно подползла. Коста вытащил солдатскую фляжку и плеснул молока в жестяную миску. Змея сразу принялась лакать, а Коста продолжил подъем.

Зацепившись за уступ, он в последний раз с тревогой оглянулся: опасны обе дороги — и та, что открывалась перед ним, и та, что здесь оканчивалась. Передумать и развернуться так же гибельно, как идти дальше. Он снял сутану, обвязал вокруг себя, распутал веревку, обмотанную вокруг тела, и взмахнул ею в воздухе, словно лассо. Свернутая в кольцо веревка со свистом взлетела. Убедившись, что она крепко зацепилась за скальный уступ, Коста прополз по кромке вдоль длинной стены, где любая ошибка могла оказаться роковой.

Его крестный путь к вершине скалы состоял из двух подъемов и трех спусков. Именно они представляли наиболее трудное испытание. Как и в жизни, необузданность заставляла его выбрать идущие вверх дороги, и ему казалось, что он преодолевал их с большей легкостью, нежели падения вниз головой. Ведь поперечные пути не предлагались, а спуски он освоил недостаточно. Они были навязаны ему историей и порожденными ею бедами. Коста знал, что теперь к жизни его привязывает только эта голгофа! Выдержат ли руки и эта дорога вес его тела? Прямо перед ним сходились в один уступ три хребта. При условии, что ему удастся три раза подряд залезть и спуститься, а потом, под конец, еще раз пройти через вершину, останется последний подъем, ведущий к возвышающемуся над городом пику.

Коста заметно устал. Схватившись за веревку, он подтянулся к вершине. Он был изнурен, пот ручьями струился по поднятому и перекошенному от усилий лицу. Но его глаза и улыбка по-прежнему освещали всю долину. Перевалив за второй хребет, Коста позволил себе соскользнуть вниз. Приблизившись к третьему, он испытал облегчение и улыбнулся. Теперь он знал, что, несмотря на крайнюю усталость, скоро увидит Младу.

Коста взобрался на скалу, застонал, вскрикнул от боли и наконец одолел последнюю вершину. Он побежал к началу последнего подъема и, точно в трансе, атаковал его, таща за собой мешок с камнями. Он споткнулся — ноги уже не держали его, — рухнул на колени и перевалился на спину. Но не отступил.

До верха оставалось двести метров, которые Коста прополз. Теперь небо поменялось местами с землей, а земля заменила небо. Все перевернулось; он пятился задом. И вдруг замер. Прикосновение к какому-то черепу заставило его стремительно обернуться. Порывы ветра хлестали по горе; Коста заметил тоннель. В глубине его виднелось небо. Две летящие птички держали в клювах развевающееся свадебное платье. Обнаженная Млада выпрямилась во весь рост, птички вспорхнули, потом одновременно опустились. Млада надела подвенечный наряд. Она была счастлива. Коста прикрыл глаза. В тоннеле кто-то бросился в дальний конец, к небу: это убегала Млада. Коста со всех ног ринулся следом и быстро добрался до конца тоннеля. Но Млада прыгнула в озерцо и скрылась под водой. Коста тотчас прыгнул за ней. Оба нырнули. Но не могли найти друг друга. Вдруг под водой Косты коснулась какая-то рука. Он обернулся.

Раскат грома. Коста вздрогнул, очнулся от своего сновидения и снова посмотрел наверх. Небо разверзлось, и потоки дождя хлынули Косте на лицо.

Он поднялся и, словно движимый приливом каких-то животных сил, снова принялся бежать и карабкаться. С большим усилием мученик втащил свой привязанный веревкой и поясом мешок и достиг опушки, откуда город был виден как на ладони. Недоверчивым взглядом Коста в который раз оглядел четыре стороны света.

«Я снова достиг вершины», — подумал он.

Разбитый неимоверной усталостью, Коста направился к большому камню, где обычно отдыхал. В небе над ним пролетела ворона и глянула на него своими умными глазами. Она описала над братом Костой большой круг, который все же означал новый виток в его жизни. И лицо страдальца осветилось, несмотря на прерывистое дыхание.

Он снял пояс и веревку и сел. Когда биение сердца снова вошло в ритм, а дыхание восстановилось, он вытащил из мешка две грозди винограда и вместе со Священным Писанием положил на камень. Коста не видел, как на соседний валун уселась ворона. Он смотрел на долину, на опоясанный голой скалой город, и сердце его исполнилось тоской. И, плача тихими слезами, Коста следил за полетом двух соколов над бескрайней долиной.

Он бы еще долго плакал, если бы ворона не воспользовалась этим и одним прыжком не оказалась на камне, где лежал виноград. Коста обернулся, и слезы его высохли. Глядя, как птица клюет ягоды, он снова заулыбался.

Ценой неимоверных усилий Коста поднял над головой мешок и высыпал из него камни, которые только что принес на эту вершину над городом. Теперь он смотрел, как они катятся по скалистому склону. «Завтра, — думал он, — сложно будет начать все сначала, все столь же невыполнимое, каким оно было сегодня».

СТРАННИК В БРАКЕ

Мой отец Брацо Калем обожал рассказывать о героических подвигах женщин. Любимыми его героинями были Жанна д'Арк, Мария Кюри и Валентина Терешкова. Но когда ему случалось вспомнить о роли матери в истории, его охватывало волнение, сорочка явственно трепетала в том месте, где находится сердце, отец ослаблял узел галстука и в конце концов заливался слезами.

— Мать Момо Капора[1] собственным телом закрыла своего маленького Момчило от сброшенной фашистами на Сараево бомбы. Сохранив ребенку жизнь, сама товарищ Капор погибла от взрыва!

Слезы струились по его щекам. Глядя на него, я тоже расплакался... Ну да, расплакался! Даже не понимая, что больше растрогало меня: плачущий отец или история этой матери.

Мой отец не соответствовал югославскому стандарту. Росту в нем было метр шестьдесят

---

[1] *Момчило Капор* (1937–2010) — сербский писатель и художник.

семь, и он носил пятисантиметровые каблуки. Он следил, чтобы длина брюк скрывала их, поэтому костюмы всегда шил на заказ у портного. Когда в моду вошли брюки клеш, из-под них виднелись лишь носы его ботинок. Возле женщины среднего роста — а я имел возможность заметить это во время празднования 29 ноября[1] — он держался с заметным превосходством. Надо сказать, отец без зазрения совести бросал на женщин страстные взгляды, а те в ответ улыбались ему.

— Ах, перестаньте, пожалуйста, товарищ Калем! Вы меня смущаете...

Если дамы проявляли такую слабость в отношении моего отца, понятно, почему они не выступали в первых рядах во времена великих потрясений, революций и разных войн. И только потом, когда осознали, что в их деяниях недостает женщин, мужчины стали разыгрывать из себя джентльменов. Я не мог похвалиться своими познаниями в области истории человечества. В лицее мы как раз в третьем классе приступили к изучению периода замены матриархата патриархатом. До этого власть над мужчинами и животными находилась в руках женщин. Это было время, когда мужчина-охотник утратил свое первенство. С тех пор счеты между мужчинами и женщинами так и оста-

---

[1] *29 ноября* — национальный праздник, День создания Национального комитета освобождения в 1943 г. и провозглашения Югославии Народной Республикой в 1945 г.

лись в подвешенном состоянии. Сменялись тысячелетия, а вопрос этот так и не решен. Сегодня мы отмечаем 8 Марта и подвиги партизанки Мары! О ней отец тоже очень любил рассказывать. Но почему именно мне? Он ведь прекрасно знал, что мне плевать!

Любовь к тайнам появилась у меня, когда я был в отряде разведчиков Савы Ковачевича, в летнем лагере в Сутьеске. Кто мечтал стать гонцом, обязан был в совершенстве овладеть техникой молчания. Да еще на разные лады, чтобы не оставаться простым разведчиком. Чтобы получить это звание, надо было все двадцать четыре часа в сутки держать рот на замке. Мне очень нравилось молчать: меньше говоришь, больше думаешь! Напрасно твердят, что речь — самое прекрасное достижение человечества. Я убедился, что никогда не следует болтать напрасно или впустую. Именно поэтому провалились мои первые опыты с девочками.

На одном свидании, к примеру, я принялся блеять, как баран, и плевать сквозь зубы.

— Да скажи хоть что-нибудь! — воскликнула она.

— Что?

— Что-нибудь приятное...

— А что ты считаешь приятным?

— Не важно. Например, ты мог бы сказать, что любишь меня...

— Еще чего! Да и вообще, это неправда!

До поры до времени я ни разу в жизни не рассказывал друзьям, что происходит у нас дома. Но в один прекрасный день что-то толкнуло меня излить душу Цоро и Црни. Попивая пивко перед магазином, мы поджидали придурков с Пейтона, чтобы срубить с них бабки за проход по нашей улице. Я принялся пересказывать историю про мамашу Момо Капора, и вдруг на мои глаза навернулись слезы. Цоро немедленно набросился на меня:

— Тоже мне плакса! Разнюнился, как девчонка!

— Всего-то одна слезинка...

— Хулиган, если он, конечно, настоящий, никогда не хнычет. Даже если у него только что мамаша откинулась!

— А сам ты разве не плакал, когда твой старик помер?

— Ты, это, меня не трожь! Я твой босс! Все, пошли отсюда.

Его прозвали Цоро, косой, потому что он был близоруким и щурился, чтобы прочесть или разглядеть что-нибудь издали. А очки носить отказывался, чтобы не выглядеть как девчонка. Из всей нашей банды Цоро был самый крепкий, вечно дрался со старшими ребятами и первым надел клетчатые штаны. И тогда в школе все учителя стали называть его клоуном.

— Если я клоун, господин директор, то кто вы? Клоунский директор?

— Попридержи язык!

— А Род Стюарт, по-вашему, тоже клоун? У него тоже такие брюки.

— Следи за тем, что ты говоришь!

— И бабок у него на все хватит: он может купить эту школу, и этот актовый зал, и журнал, куда вы нам лепите свои колы да пары!

— Следи за тем, что ты говоришь, — испуганно повторял директор школы Хасан Кикич.

А Црни был самый маленький. Но зато и самый верткий, к тому же никогда не расставался со своей заточкой. Он ею ковырял в зубах, чистил под ногтями, взламывал газетные киоски — и держал на расстоянии самых крепких парней нашей улицы. Он всегда шел на добрый десяток метров впереди и теперь тоже обогнал нас, поднимаясь по улице Черни Врх — Черный Пик. Называли ее так не потому, как можно было бы подумать, что наверху, на Горице, жили цыгане, тем более что их обзывали черномазыми. На другом конце цыганского квартала, во дворе Орхана Сейдича, устраивались собачьи бои. И в этот раз зрелище, судя по всему, обещало быть захватывающим: ротвейлер будет насмерть биться с волком!

— Заходите, люди! Сегодня дело нешуточное! Все без обмана! В бою встретятся волк, отказавшийся стать псом, и ротвейлер, который не боится волков! Выживет сильнейший!

Ветер разносил по окрестностям усиленные громкоговорителем гнусавые выкрики зазывалы. Когда мы подходили к разделившимся на две группы болельщикам ротвейлера и волка, мне, сам не знаю почему, снова припомнилась история мамаши Момо Капора.

— Мой предок утверждает, что Момо Капор — аристократ, судя по тому, что случилось с его матерью.

— Опять ты за свое! Жизнь, смерть, да кому это интересно! На кой черт сдалась нам твоя аристократия! Забудь ты про Капора с его мамашей, глянь лучше, что делается!

И Цоро звонко шлепнул монетой в сто динаров о ладонь Орхана Сейдича:

— Ставлю сотню на волка!..

Сейдич тут же вписал имя Цоро в приходную книгу, а другой рукой, на которой было всего три пальца, припрятал ставку. На Горице болтали разное: то ли жена откусила ему два пальца в отместку за измену, то ли он сам отхватил их себе плотницким рубанком. Орхан улыбнулся и кивнул в сторону арены.

Цоро протиснулся в первый ряд. И тут же, верный своей привычке, отвесил оплеуху ближайшему соседу:

— Не жди, чтобы я вмазал тебе еще раз! Отвали!

Шпана ему не нравилась, хотя он и сам не мог служить примером хорошего поведения. Мелкие кражи и зуботычины были неотъемлемой частью его существования. Взрослые хулиганы придерживались того же образа жизни. Они обожали поговорить о справедливости, восторгались теми, кто сочетал в себе одновременно черты умника и подонка, но тем не менее не были уголовниками. В мечтах они представлялись себе хорошими, не сквернословили, читали книжки... Но судьба избрала для них путь порока. Большинство он привел прямиком в тюрьму. Уверенные в том, что волки поддерживают порядок в природе и избавляют ее от всякой сволочи, они так же поступали с людьми.

— Видал, какие у них повадки? — сказал Цоро, указывая на беззубый сброд. — Никто из них не допустит, чтобы мать из-за него хоть слезинку проронила!

Зрители рычали, как бешеные псы, от них было больше шуму, чем от ротвейлера и волка, вместе взятых. Все, словно развернутыми знаменами, потрясали своими билетами.

— Хозяин леса... что тут скажешь... — продолжал Цоро, с восхищением рассматривая волчий зад и хвост.

Казалось, волк в любой момент может наделать под себя. Большеголовый ротвейлер кинулся на него и покусал. Волк едва раскрыл пасть и в ответ на нападение лишь щелкнул зубами. Неожиданно болельщики, включая самых остервенелых, перестали вопить. Свора мерзавцев резко заткнулась. Откуда ни возьмись появился сын Орхана и, заикаясь и постоянно озираясь, прохрипел:

— По... по... по...

— Вот сука! — крикнул Орхан. — Полиция!

Потом, уже не запинаясь, мальчишка взревел, точно сирена, которую включают первого числа каждого месяца:

— Фараооны!

Толпа состояла из одних нарушителей закона, которых систематически, всякий раз перед приездом Тито в Сараево, упрятывали в каталажку. И даже если в данный момент никто из них не делал ничего дурного, каждый чувствовал себя виноватым. Они прекрасно знали, что за ними ничего не числится, но им запросто что-нибудь пришьют. Это было очевидно и полицейским, которые рванули за голытьбой вниз по Горице, осыпая всех без разбору градом ударов дубинками. Главное для бежавшего сброда заключалось в том, чтобы не оказаться в «воронке», который в огромном облаке пыли уже приближался к месту действия.

— Вот черт! Ты только посмотри на этих несчастных зверюг! — воскликнул полицейский, высаживаясь из своего «тристача» и приглаживая усы. Он уставился на окровавленного волка. Тот закрыл глаза и, по всему видать, агонизировал. Взбудораженный всеобщей истерией и паникой, ротвейлер с черно-белой мордой яростно впился зубами в волчью шею и принялся трепать поверженного врага из стороны в сторону.

— Орхан, придется мне подрастрясти тебя! Нам двух сотен не хватает!

— Мне тоже! — раздалось из заброшенного кирпичного завода. — Ты мне еще три должен!

Ротвейлер готовился снова наброситься на волка, но тот не двигался, и пес, вцепившись в шкуру противника зубами, просто протащил его по земле. После чего, убедившись в своей победе над хозяином леса, принялся кружить возле неподвижного зверя, ища одобрения хозяина. Поскольку тот скрылся, пес, свесив язык, в ожидании похвалы уставился на полицейских.

— И какой же ты после этого волк, если позволил ротвейлеру так тебя изувечить! — произнес усатый полицейский.

Пес уселся рядом с волком и посмотрел на полицейского. В ту же секунду ситуация резко переменилась — все успели позабыть, что волк отказался быть псом. Ротвейлер был наказан за то, что так легко поверил в смерть хищника. Словно собравшись испустить дух, тот широко раскрыл пасть. Мощный и точный щелчок челюстей, и вот уже из собачьей шеи хлещет кровь, а передние лапы беспомощно царапают землю. От давления все крепче сжимающихся волчьих челюстей у ротвейлера вот-вот лопнут жилы. Последнее содрогание — и собака мертва.

Кружа вокруг собаки, волк крепкими зубами раздирал в клочья ее плоть, а мы, Цоро, Црни и я, кубарем катились вниз по Горице. Но вдруг, услышав выстрел в воздух, остановились как вкопанные.

— Еще один шаг, и я прошью тебе задницу! — прокричал усатый.

— Но, господин, — заныл Црни, — я ничего не сделал, клянусь вам!

Усатый и трое других полицейских окружили нас и без предупреждения принялись лупить дубинками. Подняв руки, мы старались защитить от ударов голову. Горстку более взрослых возмутителей спокойствия взяли, остальным удалось удрать.

— Ну-ка, малыш, — крепко ухватив меня за руку, спросил усатый, — как тебя зовут?

Вскрикнув от боли, я затряс головой:

— Момо... Момо Капор...

Цоро удивленно уставился на меня. Црни прикрыл рукой расплывшиеся в улыбке губы. Другой полицейский и усатый вопросительно переглянулись.

— Живо встали туда, к забору! — скомандовал усатый, указывая на какую-то хибару. — Ваши документы! Где ваши паспорта?

— Мы еще дети, нам только четырнадцать лет...

— Это ты-то ребенок? Такой здоровяк, да ты быка завалишь!

Записав фамилию Црни, усатый повернулся ко мне:

— Чедо Капор... Он тебе кто?

Ответ раздался, как выстрел из пушки:

— Дядя!

— И тебе не стыдно?

— Нет, я...

Я уже готов был сказать: меня зовут Алекса Калем, я сын Брацо и Азры Калем. Из-за Цоро и Црни, потому что они могли подтвердить, что это и правда мое имя.

— Как же так? — прервал меня усатый. — Должно быть стыдно. Если твой дядя узнает, что ты позоришь его фамилию, тебе влетит! Ну-ка, живо домой! И чтобы я тебя здесь больше не видел! Как не стыдно!

«Я впервые в жизни скрываюсь под чужим именем. Но ведь за незаконное присвоение фамилии полагается тюрьма!» Вот что эхом звучало у меня в ушах. Хотя мне даже нравилось быть кем-то другим. Вдруг разом взять, да и влезть в шкуру писателя! Супер! Просто чудо!

Наши полицейские книг не читали. Поэтому мне повезло, ведь если бы усатый знал, что Момо Капор — это самый известный писатель, вряд ли бы я выжил после заданной мне порки. Вот о чем я думаю.

Но откуда мне было знать, что существуют родственные узы между Чедо и Момо Капорами? Чедо периодически показывали в телевизионных новостях, он участвовал в торжественных запусках гидроэлектростанций и вводе в строй свежезаасфальтированных дорог, перерезал ленточку на открытиях спортивных залов и сталелитейных заводов, проводил электричество в наиболее отдаленные деревни Боснии и Герцеговины. Откуда я мог это знать?

Мать проснулась от скрипа входной двери:

— Только пришел? И откуда же ты?

— Из библиотеки.

— Ты... из библиотеки?

— А что такого?

— Библиотека, которая открыта в половине одиннадцатого вечера? Где это видано?

— Там открыли литературное кафе, а на самом деле книжный магазин. Сидишь себе, пьешь кофе или кокту[1], читаешь книжки и болтаешь.

— Выходит, теперь я смогу получать новости из первых рук!

— Момо Капор издал новую книгу.

— Обожаю «Записки некой Аны».

— Настоящее название «Провинциал»[2].

— Ну и как тебе эта книга?

— Обложка суперская...

Зима выдалась суровая; это, сам не знаю почему, укрепило меня в мысли, что лучше быть Момо Капором, чем Алексой Калемом. Цоро и Црни, взявшие моду играть в покер за новостройками позади школы, каждый день свистели под нашими окнами. Им требовался третий.

— Никак не могу забыть о судьбе Момо Капора, вот ведь аристократ! — за кухонным столом заявил Брацо, набив рот голубцами.

---

[1] *Кокта* — словенский безалкогольный напиток на основе лекарственных трав и карамельного сахара.

[2] «Белеjки едне Ана»; «Провинциjалац» (не переведено на русский).

Азра не выносила легкомыслия мужа, но в тот вечер я был уверен, что он не станет проливать слезы над женской долей. Почему же все-таки он плакал, вспоминая о роли женщин в истории?

— А что, правда можно родиться аристократом?

— Разве я сказал обратное?

— Нет, ты ничего не сказал! Но ведь он не стал аристократом из-за того, что избежал взрыва? Он таким родился?

— Да, черт побери, я именно об этом и говорю! Хотя ладно, согласен с тобой... он не аристократ.

— Нет, аристократ! Но причина в другом!

Брацо отказался не только спорить, но и ужинать.

Потому что он только что несколько дней провел в поездке, которая завершилась в Белграде. А когда он возвращался из Белграда, разговоры не затягивались. Зато по прибытии из Загреба сцены с матерью продолжались далеко за полночь.

— Это означает, что любовница в Белграде выжимает его, как лимон, — заявил Цоро. — Что она изматывает его, лишает сил... А та, что в Загребе...

— Ты думаешь?

— Или он влюблен в ту, что в Загребе!

— Что ты несешь! Мой старик уважает женщин. Ты даже представить себе не можешь, как он описывает их подвиги!

Надо признать, я слабовато защищал Брацо Калема. Мои аргументы звучали столь же неубедительно, как диалоги из сериала «Карагез», который показывали по Сараевскому телевидению, — такие же пустые и легковесные. Кто знает, почему отец был покладист с матерью. Каждый раз, когда между ними возникало напряжение, они устраивали забег. Побеждал тот, кто раньше оказывался возле меня. Иногда оба неловко застывали на пороге моей комнаты. На сей раз отец опередил мать и уселся на край моей постели. Не сводя глаз с рекламы ботинок «Star» на обложке «Провинциала», он пустился в философские рассуждения о трудностях взросления:

— Главное для мужчины — это остепениться и твердо встать на ноги!

— И быть высокого роста.

Он окинул меня серьезным взглядом:

— Я говорю с тобой не о росте, а о человеческих качествах. Двухметровый верзила может остаться мальчишкой, а другой, ростом метр шестьдесят, созреть! Ну-ка, умник, скажи мне, как ты узнаешь, что повзрослел?

— Когда созреют чувства, неосознанные стремления, сексуальность...

— Необходимо обрести уверенность. Как этого достичь?

— Да, как? Когда я буду уверен?

— Когда научишься ходить, когда у тебя будут башмаки с подковами.

— Как у лошади?

— Не говори глупостей! Ты идешь по тротуару, и вся улица звенит от твоих шагов! Только по звуку в тебе признают уверенность в себе!

— Неужели? Ее что, слышно?

— Следует ходить размеренным шагом, прислушиваться к нему. Понимаешь?

— Нет.

— Следить за своей походкой. Двигаться, слегка, едва заметно приподняв правое плечо, чтобы никто не обратил на это внимания.

— Мне тоже придется носить небольшие каблуки, как у тебя?

— Ты прекрасно знаешь, что я ношу их из-за проблем с позвоночником, а вовсе не из-за роста!

И вдруг мне вспомнились все его рассказы об отважных женщинах. Вне всякого сомнения, между каблуками на мужской обуви и повествованиями о героинях истории существует связь. Почему отец плакал, рассказывая о них?

— Бедра неподвижны; на тебя смотрят — особенно женщины. Им нравится звук щелкающих подошв.

— Как у Фреда Астера?

— В танце они расслабляются. Не потанцуешь — не поцелуешь!

Пробудился я только летом. Позади, точно чемодан, забытый на багажной полке следующего в неизвестном направлении поезда, остался четвертый класс лицея. Только история с Момо Капором все еще была жива.

Жарким июльским утром я открыл глаза и посмотрел на будильник. Половина девятого. Из кухни доносилась болтовня соседок:

— Что интересного пишет в «Базаре» Момо Капор?

— Что в Белграде у всех академиков есть любовницы.

— У всех?

— Он немного преувеличивает, но я понимаю, что он хочет сказать.

— Он считает, что скрывать это плохо.

— Если об этом трубят на всех перекрестках, уже нельзя говорить о любовницах, особенно если любовники — ученые.

— Ученые? А какая связь?

— Вы вообще ничего не поняли. Момо ополчился не против любовниц, а против лицемеров. Против академиков, которые не осмеливаются развестись!

— А ведь Момо член академии?

Пока я слушал историю про Капора, меня осенило. Идея казалась мне шикарной, но опасной. Я решил пойти в магазин другой дорогой, а не как обычно. Я перелез через перила балкона на втором этаже и аккуратно спустился с карниза на землю. Я не испытывал никакого желания проходить мимо женщин, чьих имен история не сохранила.

Ноги сами принесли меня к магазину: Цоро и Црни дулись в карты. Мне надо было просто убедиться, что им нечего делать. Одного взгляда хватило. Они точно согласятся. И обсуждать не стоит.

— Как дела, Момо Капор?

— Лучше не бывает! У меня есть план... крутой!

— Знаешь, сколько дают за присвоение чужого имени?

— Нет. Но сейчас дело не в этом.

Чтобы реализовать свой крутой план, мне требовалось разрешение Азры на поездку к Ябланицкому озеру.

— В эти выходные мы не учимся.

— Ты уверен, что «он» позволил бы тебе поехать?

— А он где? В Белграде или в Загребе?

— В Белграде.

Я выдержал паузу, как будто собирался затронуть тему Белграда и Загреба.

— Мы хотим порыбачить, а не ограбить банк! — продолжал я.

— Как только доберетесь, сразу позвони мне с почты! Чтобы я за тебя не беспокоилась! — сказала Азра, сжав меня в объятиях.

В доме Цоро находилась лавчонка, скупающая краденое барахло из Германии. Там мы обнаружили костюмы, необходимые нам для продолжения истории Момо Капора.

— И куда же вы собрались в таком виде? — спросила мать Цоро.

— В поездку!

На Горице слово «поездка» имело не совсем тот же смысл, что во всем остальном мире. Так не называли ни обыкновенное путешествие из любознательности, ни визит к родственнику, ни желание отдохнуть. На Горице совершить поездку означало... совершить налет! И если дело не кончалось тюрьмой, участники такой «поездки» возвращались с добычей.

— Ну ладно, эта парочка. Такие поездки — их удел. Но ты-то, Алекса, не станешь же ты ввязываться в грабеж?

— А кто сказал, что мы собираемся грабить?

— Я. Я знаю, что говорю. А я об этом и говорю.

— Мам! Прекрати нести чепуху!

Я не мог отвести глаз от своего отражения в зеркале; ноги сами пустились в пляс, словно подражая Фреду Астеру.

— Неплохо слышать звук собственных шагов, — заметил я.

— Для налетчиков лучше бы его не слышать!

— А вот мой предок говорит, что надо наслаждаться каждым сделанным шагом!

По дороге к вокзалу Нормална у меня само по себе приподнялось правое плечо. Цоро этого не оценил:

— Ты чего хорохоришься?

— Я? Хорохорюсь?

— Ну-ка, опусти плечо!

Согласиться оказалось непросто, хотя самый сильный... он и есть самый сильный! Но стоило Царо отвернуться в сторону луга и цирка Адрия, плечо вернулось на свое место. Мне казалось, будто все девушки Сараева, которые строили глазки, воображали себе мой силуэт, отражающийся в окнах района Марин-Двор.

На тротуаре перед отелем «Загреб» звук моих шагов ударил в колокол на церкви, — казалось, ветер разносит звон моих подков до самой вершины горы Требевич, а оттуда, превратившись в музыку, он попадает прямо в девичьи уши во всех концах Сараева. Правду сказал отец: когда слушаешь свои шаги, меняется ощущение, приходит осознание собственной значимости! И даже в противном случае все вокруг шло в дело: Цоро, Црни и я шагали в ногу, как пилоты из фильма «Партизанская эскадрилья»![1]

— Мы чего, в кино снимаемся, что ли? — спросил Црни.

— Кино свое будешь снимать в тюряге, если нас заметут! — ответил Цоро.

На вокзале Нормална нам повстречались какие-то босяки. Женский голос из репродуктора придал торжественности нашей походке: «Отправление поезда Сараево—Меткович—Карделево через пять минут. Просим путешественников и деловых людей пройти в вагон!»

---

[1] «Partizanska eskadrila» *(сербохорват.)*, 1979 г., реж. Хайрудин Крвавац.

Мы заняли лучшие места в пустом вагоне-ресторане. Цоро и Црни смотрели в окно, а меня проводница застала погруженным в чтение романа Сэлинджера «Над пропастью во ржи». Она была высокая, рыжая, с глазами, отливающими фиолетовым, как у Элизабет Тейлор. Мои дружки поправляли наручные часы, поддернув рукава и потряхивая запястьями. На самом деле таким образом они привыкали к своим взятым напрокат костюмам. И пытались походить на шпану постарше: на тех, про кого на Горице говорили: «Да, книжонки-то они почитывают, но это же хулиганье!»

— Ваши билеты, пожалуйста!

— Они у дяди. Чедо Капора!

— У дяди? — с подозрением разглядывая меня, повторила девушка.

— Да.

— Ну и где же он, твой дядя?

— Дает интервью для радио и телевидения Сараева.

— Где?

— Вон в том здании, напротив.

— Такой коротышка с седыми бачками?

— Он самый! — воскликнул я, не имея понятия, как выглядит Чедо Капор.

— Да я же его знаю!

— Супер, куколка! Значит, тебе ясно, к кому обратиться!

— Когда я работала на белградском поезде, он однажды как раз в нем ехал.

— А это мои кузены из Требинье.

Церо протянул руку для рукопожатия и представился Николой Койовичем из Требиньской Шумы, а Црни — его родственником по имени Момчило.

— Мы едем в Карделево, чтобы госпитализировать мою мать. Она умирает, дядя сделал все необходимое для того, чтобы она еще несколько дней после операции пробыла в неумской больнице. Но, по его словам, ей недолго осталось...

— В прошлом месяце умер брат моей матери. Что будете пить? — спросила девушка, встретившись со мной взглядом — всего на долю секунды, ровно на столько, сколько понадобилось Ингемару Стенмарку, чтобы завоевать кубок мира по лыжам.

День был жаркий, испарения от колесной смазки поднимались в пустой вагон-ресторан, смешивались с запахом мыла в обертках с логотипом югославских железных дорог, «ЮЖ». Едва девушка отошла за стойку, в вагоне появились трое мужчин в серых костюмах. Из их разговора мы поняли, что они работают в ООН и сопровождают какого-то фрица, инспектора качества заливов.

— Нор-ма! — невнятно пробормотал фриц по-сербски. — Вы даже себе не представляете, что это такое!

— Мы наведем там порядок. И среди контингента, и на производстве. И даже в этой чертовой норме, если надо!

— Ты собираешься навести порядок в норме?

Явно обеспокоенная, девушка вернулась, поставила на стол напитки и протянула ко мне руки:

— Болезнь... мы понятия не имеем, что это такое, пока не потеряем близкого человека... Пожалуйста, пощупай мне пульс.

Ее сердце билось под моим указательным пальцем. Когда отец выпивал слишком много, у него случалась сердечная аритмия. И я, черт знает как давно, умел считать пульс. Несмотря на частые и неравномерные удары, я постарался успокоить ее:

— Все в порядке. А в чем проблема?

— Стоит кому-нибудь заговорить о смерти, я делаюсь сама не своя...

— Избавь меня от этого! — встрял Црни.

— Но без жизни ничего нет!

Поезд тронулся, от толчка толстый фриц, который разорялся о стандартизации, рухнул на пол. Двое других серых костюмов бросились поднимать его, но разгон поезда и их сбил с ног.

Я подскочил к окну, открыл его и свесился наружу:

— Дядя! Мой дядя!

Проводница спокойно подошла и тоже высунулась в окно. Ее волосы развевались у меня перед глазами.

— Прекрати трепать про своего дядю, негодник! Хочешь меня провести, я знаю!

— Дядя! Дядя! — не унимался я.

— Меня зовут Амра, я живу на улице Горуша. Шкорича знаешь?

— Шкорич... Шкорич...

— Правый крайний нападающий команды Игмана из Храсницы. Потом он играл у Желья в полузащите.

— Ну да, конечно! Я только его и знаю!

— Когда мне было пятнадцать, он увез меня во Францию. Он тогда подписал контракт в Метце.

Амра достала фотографию. На ней девушка была запечатлена в бикини, с изящно выставленной вперед левой ногой, возле каменной стены пляжа в Сплите.

— Все вы, мужчины, одинаковые!

— Как это... одинаковые?

— Поначалу мы были друзья-приятели, а потом он стал относиться ко мне как к прислуге. Я быстренько нашла себе француза, начальника лаборатории, где делают анализы. Богатого, но тоскливого до слез. Через два месяца, — прыснула она, повернувшись ко мне лицом, — я сделала ноги. Так как тебя звать?

— Момо Капор.

— Ты меня держишь за дуру необразованную?

— Где бы я поднабрался такого?

— Я пять лет назад прочла «Записки некой Аны».

— Значит, ты слышала про академиков: у всех есть любовницы, своих жен они не любят, но развестись не осмеливаются...

Я хитрил.

— Кстати, о любовницах. Твоего предка как звать?

— Я тебе уже говорил, Капор.

— Нет, его зовут Брацо Калем! Он у нас постоянный пассажир!

Онемев от изумления, я уставился на нее. Но быстро совладал с собой. Даже если бы меня убили на месте, ни за что не признался бы, что я не Момо Капор.

— Брехня!

— Что брехня? Может, твой предок не служит в Исполнительном вече?

— Должно быть, ты путаешь...

Она, улыбаясь, покачала головой из стороны в сторону.

— Дяядя! — заорал я в окно, полагая, что это поможет мне пережить случившееся.

Так, значит, у моего отца, кроме матери, есть другая женщина. Нет, это невозможно! За слезами, которые он проливал над историями о женском героизме, скрывается страшная тайна его жизни? А пересуды соседок отражают истинное положение вещей: мужчины не могут обойтись без любовниц? Что я мог об этом знать? Я, который и ходить-то правильно толком не умел!

Амра склонилась ко мне; я решил, сейчас что-то шепнет. А она просунула язык мне в ухо, и все мое тело точно током пронзило.

— Что же нам теперь делать без твоего кузена? — промурлыкала она.

— Без дяди, а не без кузена! — выкрикнул я, возвращаясь за столик к Цоро и Црни.

Судя по всему, им не нравилось, как развивается ситуация. Они старались не встречаться со мной взглядом и с интересом пялились в мелькающий за окном пейзаж. Я раскрыл «Над пропастью во ржи» и сделал вид, что читаю, хотя сердце мое отбивало сто ударов в минуту.

Цоро и Црни взглядом посоветовали мне отвлечься и выпить.

— Кто бы мог подумать, что мальчишки вашего возраста так любили выпить!

Амра пила больше, чем мы трое, вместе взятые.

— А тебе сколько?

— Двадцать семь, — наклонившись, объявила она. — А счет вон тому... — И она направилась к соседнему столику.

— Думаешь, она девственница?

— Такая же чистая, как бумажник официантки.

Амра положила счет перед фрицем.

— Этот продукт... — пьяненький инженер ООН указал на Амру, — как насчет нормы? Все в порядке?

— Das ist über Standart, Herr Residbegovik![1]

— Тогда мы тоже введем такую норму. Ну-ка, крошка, что скажешь насчет работы в ООН?

---

[1] Это гораздо выше нормы, господин Резидбеговик! *(нем.)*

Амра прошлась перед окном. Ее черная юбка заслонила проникающие снаружи солнечные лучи. Когда захмелевший фриц попытался прикоснуться к ней, она ловко увернулась от его руки и покосилась в мою сторону:

— Вас, балканцев, стандартизация не коснулась!

Этот фриц выражался как настоящий инженер остроумия. А я не сводил глаз с разреза на форменной юбке.

— Эй, — прошептал Цоро, пока Црни уплетал венский шницель с зеленым салатом, — если нас найдут, придется сматывать удочки!

— Не дрейфь, я контролирую ситуацию!

— Твой контроль, — возразил Цоро, указывая подбородком на Амру, — затуманил тебе мозги...

Амра снова присела за наш столик.

— Моя любимая книга, — вдруг поведал я ей, — это «Catcher in the Rye»[1]. Читала Сэлинджера?

— Чего?

— Там рассказывается о взрослении.

(Ясно. Не читала она.)

И вдруг знакомый голос:

— Вы проводница?

— Так точно, — приосанилась Амра.

— Мы везем в Коньиц двоих воров-карманников, и я хочу разместить их в почтовом ваго-

---

[1] «Ловец во ржи» *(англ.)* — роман (1951) Дж. Сэлинджера. В русском переводе — «Над пропастью во ржи».

не. После трепки, которую они получили, парни обоссались, и я подумал, что не слишком хорошо, чтобы это видели дети!

— Здесь нет детей. А что, вид обоссанных воров предназначен для взрослых?

— Вовсе нет, крошка! Просто скажи мне, где почтовый вагон.

— Там, в конце.

— Ух ты! Момчило! А ты что здесь делаешь?

Это был усатый. Тот самый, что сцапал нас на улице Черни Врх.

— Привет, усатый! Вы больше не на Горице?

— Меня повысили! Правда, работы побольше... Зато, спасибо Господу, и деньжат побольше!

Црни первому удалось улизнуть неузнанным и незамеченным, потом драпанул в туалет Цоро.

— А дядя твой где?

— Наверное, еще там, на вокзале... Но он будет в Кардельеве...

— Это как? Остался в Сараеве и будет в Кардельеве? Он что же, может находиться одновременно в двух местах?

— Нет, — вмешалась Амра, провожая полицейского к кабине машинистов, — он имеет в виду, что дядя приедет на своем «мерседесе» и что они там встретятся...

Вернувшись, она схватила меня за руку:

— Иди сюда!

— Куда ты меня ведешь?

— Обожаю местечки, где страшно! А ты?

— Я больше привык к классике...

— Так можно помереть со скуки! У меня лучше всего получилось, когда помер папаша Шкорича!

— В объятиях мужчины женщина может найти защиту от смерти.

Мой внезапный философский маневр провалился. Амра еще крепче прижала меня к себе и стиснула мою руку.

— Почему ты вырываешься? — спросила она.

— У меня никто не умер, — лепетал я дрожащим от возбуждения голосом.

— Тебе понравится...

Амра притащила меня на площадку между двумя вагонами и специальным ключом перекрыла обе двери. Прижавшись спиной к одной из них, она задрала юбку и взглядом пригвоздила меня к другой. Ее бедра слепили меня, точно молнии, ноги были гораздо длиннее, чем могло показаться. Мерное постукивание колес по рельсам создавало привычный ритм. Пока я предавался поэтическим мечтам, она обхватила меня ногой, провела коленом вверх вдоль моего бедра, просунула свой язык мне в ухо...

— Представлю себе, что ты Джеймс Браун...

— Чего?

— Да ничего!

— А покрасивей никого не нашлось? — дрожащим голосом спросил я.

— Может, он и урод, зато хорошо играет!

Опустив руку, она расстегнула мне ширинку, и я ощутил себя Сони Уинстоном, которого Мохаммед Али прямым ударом в лицо отправил в нокаут, только без боли. Описав дугу, мое детство упорхнуло куда-то в окрестности Коньица.

«Пробил мой час», — подумал я.

Голос Цоро положил конец учениям.

Он свесил голову с крыши:

— Усатый засек нас! Надо валить!

— Усатый... Какой еще усатый?

— Фараон, идиот! Тот, что сцапал нас на Горице! Вылезай на подножку, на повороте поезд замедлит ход, тогда прыгай!

«Сколько дают за лжесвидетельство?» — размышлял я, пока бежал к последнему вагону.

Прав был отец: чтобы повзрослеть, надо танцевать! Прыгать с подножки последнего вагона — дело нешуточное. Но идти через лес все же было гораздо надежней, а слышать, как скрипит под ногами песок, — спокойней, чем в последний раз, когда мы удирали после кражи кур. Песок у меня на губах перемешался с помадой Амры. То, что не пришлось разговаривать с ней — после того, — оказалось весьма кстати. Что бы я мог ей сказать? Рычать, как медведь? Развлекать ее рассказами о женской отваге? Упомянуть Жанну д'Арк? Выжать из себя слезу при упоминании имени матери Момо Капора? Подробно остановиться на достижениях женщин в мировой истории? А в реальности нарушить запреты? Как раз все это, вместе взятое, и заставляло плакать моего отца!

После пробежки по лесу оплаченный немецким инженером венский шницель запросился наружу. Первым блеванул Црни. Цоро вырвало возле бука.

— Черт! Вот уж не пошло так не пошло! Набить себе брюхо, ничего не заплатить за жратву, это ладно. Но зачем же потом все выблевывать?!

— Ну а что Амра? Классная телка?

— Откуда мне знать, мы говорили о литературе!

— Ладно тебе, писатель! Ты меня за усатого держишь, что ли?

Мысли мои змеились вслед поезду, уносившему маленького мальчика, каким я был совсем недавно. Мы вышли на лесную дорогу, хохоча как безумные. Этот усатый здорово насмешил нас.

— Как он там сказал? Что видеть обоссанных воров не слишком хорошооо?

— По правде сказать, мужики, — вступил в разговор Црни, — я не ржал так с похорон моей тееетки!

Вдалеке на дороге показался грузовик. Цоро тотчас догадался, что он частный: без красных номерных знаков. Он махнул рукой, автомобиль остановился.

— Ты из Сараева, земляк?

— Да, — опустив стекло своей «татры», ответил шофер с квадратной башкой, — фараоны поставили заграждение: ищут трех парней с поезда на Кардельево.

— Ты в какую сторону?

— На Ябланицу. Давайте, один со мной, а двое в кузов под брезент.

— Мы все трое в кузов.

В знак согласия шофер кивнул.

— По правде, какой я тебе земляк. Я не деревенщина! — добавил он.

— Ты чё сказал? — Цоро был готов полезть в драку.

— А твоего братана не Цело зовут?

— Да, и что?

— В шестьдесят шестом — шестьдесят седьмом мы с ним в Зенице вместе на нарах чалились.

— Кроме шуток? Комадина... Ты, что ли?! Ты был в тюряге с Миралемом?

— Год и одиннадцать месяцев! Правда, я завязал, но что к чему, знаю! Давайте залезайте! До чего осточертело шоферить!

— Тебе адреналина не хватает, — сказал ему Цоро и, обращаясь ко мне, добавил: — Вроде это так называется?

Я кивнул.

Цоро влез в кабину, а мы с Црни в кузов, и грузовик тронулся с места. Водитель резко отпустил сцепление, и нас с Црни отбросило к заднему борту.

— Эй, земеля, — крикнул я, — поосторожней!

Водитель обернулся и повторил:

— Я не деревенщина!

— Знаешь что? — бросил мне Црни. — Ему на тебя насрать, Момо Капор! И ты его уже достал! Как подумаю, что мы спокойненько могли бы взять киоск на улице Йованица, а потом на Ябланице поесть у Гойко жареного мяса! Мы, конечно, уже пожрали на халяву, но ведь все выблевали!

Црни быстро уснул. Я тоже закрыл глаза. Мы спали, во сне привыкая перекатываться от борта к борту. Вдруг грузовик резко затормозил. Кузов осветился резким голубым светом проблескового маячка. Раздался голос полицейского:

— Не встречали троих переодетых преступников? Опасные типы, представляются чужими именами и воруют в поездах.

— Никого не видел, — ответил шофер, предъявляя документы.

— Что везешь?

— Ничего. Можете проверить.

Второй полицейский отошел, вернулся с фонарем и приподнял брезент. Мы притиснулись к откидному заднему борту, съежились и стали совсем маленькими.

Фонарь осветил кузов, луч света шарил из стороны в сторону. Рука полицейского замерла у борта, прямо над моей головой. Я дышал через нос, вжавшись затылком в днище кузова. Луч остановился в миллиметре от моей головы, полицейский почувствовал теплый воздух из моих ноздрей.

— Сука! Здесь они! Хватай второго!

Полицейский взвыл от страха. Я получил удар фонарем по черепу и резко вскочил. Фонарь разбился, поэтому снова стало темно. Только слышались крики и ругательства. Я вывалился из кузова на другого полицейского, тот упал. Црни из кабины прыгнул на капот «заставы»[1], от удара погас проблесковый маячок. Шофер с Цоро дали деру в лес. Выстрел...

Я испугался, что кого-то убили, сердце бешено колотилось в груди, мысли путались. Я упорно карабкался по склону. Темнота стояла — хоть глаз выколи! Звать остальных было преждевременно. В небе светила луна, но ни одной звезды. Главным для меня было не останавливаться.

«Дернул же черт лезть в чужую шкуру?!» — сокрушался я.

Воспоминание об Амре успокоило меня: ничто не смогло бы выбить из моего воображения ее ноги. И никто. Наверное, даже Мате Парлов[2].

---

[1] *«Застава»* — автомобиль по прозвищу «фича», созданный на заводе «Zastava», копия «Фиата-600», самый популярный в Югославии.

[2] *Мате Парлов* — чемпион по боксу в полутяжелом весе, золотая медаль на Олимпийских играх 1972 г.

Моя походка снова стала размеренной. Из-за путаницы в мозгах — тем более что именно в это мгновение из-за дерева раздался вой! — мне почудилось, будто на меня выскочил сбежавший из зоологического музея динозавр!

Прикрыв голову руками, я отскочил в сторону. И мне показалось, что я слышу, как Комадина и Цоро ржут как сумасшедшие. А я скорчился, стараясь занять как можно меньше места, чтобы страшные звери увидели, сколь мала их добыча.

— Козлы! — заорал я. — А Црни где?

— Тут, рядом.

Спустя мгновение крик «Црниии!» эхом разнесся в лесу. Спрятавшись за охотничьей избушкой, Црни, чтобы ответить, поджидал, когда мы окажемся в метре от него. Он опасался полицейской ловушки и вооружился своей заточкой. Этот заостренный инструмент всегда выражал его агрессивность, и я не сомневался, что он проткнет любого, кто нападет на него. Как-то возле школы он прикончил албанца, оскорбившего его сестру.

Не без труда мы в конце концов добрались до Меджеджи, одной из вершин горы Прень, где жил однополчанин Комадины.

— Черт! В какое же дерьмо ты нас втравил, Момо Капор!

— Дерьмо лезет не из Момо, — возразил я Црни, — а из твоей задницы!

— Если меня заметут, закажу себе полное собрание сочинений Момо Капора!

— Оно пока не издано, он еще молодой писатель, — сказал я.

— А вот будь я писателем, начал бы с того, что написал бы полное собрание своих сочинений.

— Зачем?

— Как зачем? Тогда бы с библиотечных полок я мог следить за хозяином, пока трахаю хозяйку!

Гора аж задрожала от нашего хохота, и мы все не могли успокоиться, пока Комадина не постучал в дверь заброшенной лачуги. Через секунду ему ответил ружейный выстрел. Все мы разом плюхнулись брюхом на землю.

— Все нормально, — успокоил нас Комадина и после второго выстрела проорал: — Исмет, кончай дурака валять! Это я, Комадина! — А потом шепнул нам: — А теперь... лысый с длинными патлами!

— Разве такое бывает?

В дверях появился лысый тип с длинной косой, спадающей от затылка до плеч. Он улыбался во весь рот. Лучше бы он этого не делал, потому что зуб у него был всего один.

— Поди знай, кто заявится среди ночи... Я собирался поужинать. Не люблю, чтобы мне ломали кайф, когда я ем. Ладно, входите, да входите же, вам повезло: у меня как раз есть лишняя пайка мяса!

Мигающая под потолком голая лампочка осветила наше появление. В углу будки пережевывал сырое мясо волкодав. Лысый с длинными патлами снова уселся за шаткий стол и принялся есть. Никто из нас не понимал, как он управляется с едой своим единственным зубом. Однако... Наши сомнения рассеялись, когда он вырвал из собачьей пасти пережеванное мясо и запихал себе в рот!

Мы быстро растянулись на полу и уснули. Никогда еще мне не снились такие кошмары! Всю ночь Цоро пытался залепить мне аорту, из которой фонтаном била кровь... Я не смог не рассказать свой сон. По дороге в Иваницу я поделился им с Цоро.

— Плохой знак, — ответил он. — А как ты видел кровь?

— Черт, очень явственно! Она вытекала из моей шеи!

— Какого цвета?

— Темно-красного. Ты чего, крови не видал?

— Это значит, нам не удастся смыться!

На вокзале расположенной над Дубровником Иваницы мы выглядели точно как банда в начале фильма «The Wild Bunch»[1]. Цоро стрелял глазами, Комадина наливал воду в бутыл-

---

[1] «Дикая банда» *(англ.)* — фильм (1969) реж. Сэма Пекинпа.

ку, Црни внимательно поглядывал по сторонам, а я... я внутренне кипел! Я приподнял правое плечо, но, вспомнив, что это идея отца, поспешил опустить его.

Никогда больше даже не посмотрю в его сторону! Прочь из моей жизни!

Указательным пальцем я вертел диск, набирая наш номер, а сам думал: когда же я наконец стану по-настоящему взрослым?

— Это ты? — спросил голос моей матери.

— Я.

— Как дела?

— Суперздорово!

— Представляешь, Момо Капор разводится.

— Откуда ты знаешь?

— В газете написали. Жена застала его с любовницей.

— Чего они только не говорят в своих газетах! А как бы ты отреагировала, если бы такое написали про Брацо?

— Ни секунды лишней не осталась бы с ним! Но моему Брацо не до того, его самая большая любовь — спритц!

— А твой любовник когда возвращается?

— Мой любовник?! Да что ты мелешь?

Я сразу пошел на попятную.

— Да ладно тебе! Мой предок когда вернется?

— Не сейчас. Он в командировке, еще три дня. А ты-то когда приедешь?

— Через день или два.

— Не через день или два, а завтра. К его возвращению ты должен быть дома.

Ту-ту-ту...

Время, полагавшееся мне на один динар, закончилось, и разговор прервался. И хорошо. Потому что, если бы он продолжился, если бы у меня нашлось еще один или два динара, я объявил бы матери, что у отца есть любовница. Мне нравились моменты, когда я ощущал собственную значимость, и в этом таилась опасность, потому что тогда мне случалось распускать язык. Выложить правду, шокировать — мне это доставляло удовольствие. Чтобы превзойти Брацо по значимости? Сейчас я распустил хвост. Но ненадолго. Потому что я был убежден, что мать бы ушла. И конец нашей семье. К тому же наушничать нехорошо. «Доносчики выдают своих, а ненавидят их и злоумышленники, и полиция», — говорил отец.

Я не хотел, чтобы меня ненавидели, потому что не умел ненавидеть. В моем случае гнев растворял ненависть. И все же как смириться с тем, что у отца есть другая женщина? И когда он плакал, рассказывая о женщинах-героинях, — это явно не было притворством! Это как раз и сбивало с толку.

Неожиданно появился начальник вокзала и уставился на нас. Его брови то поднимались, то опускались: это означало, что он пытается сообразить, как бы предупредить полицию. При одном взгляде на Комадину брови его замерли.

— Это еще кто? — осведомился он, ткнув в нас указательным пальцем.

— Моя родня. Провожают меня.

— Снова служить, бравый солдат?

— Нет, в тюрьму. Но всего на три года.

— Нет проблем, — объявил начальник станции, заметив коротенький поезд «Чиро», который с трудом преодолевал крутой подъем, прежде чем со скрежетом остановиться перед платформой. — Все будет сделано по воинскому уставу.

Комадина с билетом вошел в вагон, а мы стали ждать отправления поезда. Црни воспользовался этим, чтобы заглянуть в кабинет начальника станции, который — кто б сомневался! — поспешит отправить сообщение в полицию Дубровника, чтобы доложить о присутствии в поезде подозрительных личностей. Собравшись крутануть ручку аппарата, начальник посмотрел на нас и сказал:

— Если вы думаете устроить здесь драку...

Договорить он не успел: Црни обрушил ему на голову дорожный указатель. Начальник станции рухнул, и мы связали его. Так что он составил нам компанию в находящемся в хвосте поезда туалете, где мы спрятались. Снаружи остался один Комадина. Мы договорились, что, если появятся фараоны, он придет предупредить нас. Мы были готовы выпрыгнуть через окно. Црни протиснулся между нами, и мы затаили дыхание на время, пока «Чиро», кряхтя, спускался к Дубровнику.

Вдруг Комадина подал голос:

— Сваливайте! Живо!

Спасайся кто может! Выпрыгнув, мы помчались вдоль поезда и свернули в рощу.

Грянул выстрел, за ним послышалось предупреждение:

— Стой! Или я стреляю!

Полицейский из поезда выстрелил в воздух. Мы кубарем скатились по склону в сторону порта Груж. Разве впервые кто-то вот так, на всех парах, врывался в Дубровник? Какая глупость! Ведь Дубровник существовал уже так давно. Сколько раз солдаты входили в него ускоренным шагом? Сколько раз этот город был опустошен и все же сохранил столь прекрасную гармонию!

На подступах к порту Груж воняло рыбой, а мы еще добавили немного запаха поездного туалета. Рыбаки сильно шумели. На оконечности мола, уставившись на море, сидел волосатый парень с рюкзаком.

— Ишь ты, еще один хиппи, — указал на него Комадина, — пойду-ка пощиплю его!

Точно свора изголодавшихся волков, мы следили, как он уверенным шагом приближается к иностранцу.

— Пока не прочалишься два года в тюряге, — заметил Цоро, — настоящим преступником не станешь.

Присев возле иностранца, Комадина убедился, что тот его не видит, и отвесил ему два чувствительных удара под ребра. Ветер донес до наших ушей сдавленные стоны. Комадина порылся в рюкзаке парня и отшвырнул его, походя саданув иностранца ногой в живот.

— Четыре сотни марок, наркота голландская, — сказал он, вернувшись к нам.

— Нас фараоны не сцапают?

— Пусть сцапают кого хотят, — бросил Цоро. — А мне бы пожрать, парни. Умираю с голоду!

У меня еще в Иванице желудок прилип к хребту, а в ушах звучало чавканье лысого с колючими патлами. Мы обнаружили блинную и заказали по две порции каждому. Блины жевались с трудом, но мы были начеку и поглядывали, как будем делать ноги, если нагрянет полиция. Никого. Мы пошли в город, чтобы в кафе поесть мороженого, и увидели иностранца. Прерывисто дыша и держась за бока, он тащился из порта.

— Do you speak English? — спросил он.

— Yes, I speak little but good, ха-ха-ха!

— My wife left me alone...

— You married?

— Yes!

— Oh, yes, you foreigner!

— Yes, I am foreigner and I am married, but my wife is gone with Galeb!

— Galeb?

— Rock star from Zagreb! And she took all my money![1]

С этого момента я, хотя и не подал виду, перестал понимать, что он рассказывает. Английский с моих пластинок подло покинул меня!

— Money?

— Yes, all my money is gone!

— So, you foreigner in marriage?[2] — сказал я, не слишком уверенный в лингвистической правильности того, что ляпнул.

— Что все это значит? — вмешался Цоро.

— You foreigner in marriage? — не унимался я.

Парень улыбнулся.

— Что он говорит?

— Что он странник в браке.

— Да что это значит, черт побери?

— Разумеется, он ощущает себя странником в браке. Жена бросила его и сбежала в Загреб к рокеру.

---

[1] — Вы говорите по-английски?

— Да, говорю немного, зато хорошо.

— Меня бросила жена...

— Ты женат?

— Да!

— О, да ты иностранец!

— Да, я иностранец, и я женат, но жена сбежала с Галебом!

— С Галебом?

— Он рок-звезда из Загреба! Она забрала все мои деньги!

[2] — Деньги?

— Да, все мои деньги пропали!

— Так ты странник в браке?

— Странник в браке... Это откуда? Может, из «Strangers in the Night» Фрэнка Синатры?

— Объясни-ка ему хорошенько, что, если ему дорога жизнь, пусть поработает на нас.

— Do you want to work?

— Whatever, I am ready, I need the money to get some hashish and go home[1], — ответил парень, потирая локти и морща нос.

Услышав слово «гашиш», Цоро взорвался и, обхватив голову руками, воздел глаза к небу. Он ненавидел торчков!

— Вот сука! — завопил он, пиная иностранца ногой под зад. — За что ты так со мной?! Сраный голландец, грязный укурок! Вали отсюда!

Комадина вмешался:

— Оставь его, он нам пригодится.

В конце ведущей к отелю «Аргентина» улицы мы дождались, пока носатая тетка не закроет ставни на окнах киоска. Стрекотали цикады, а мне в голову лезли дурацкие мысли: какие звуки они издают, когда совокупляются?

Укрывшись в роще, в некотором отдалении друг от друга, на случай если нагрянет полиция, мы были готовы к налету и не сводили глаз с носатой тетки. Она заперла свой киоск и погрузилась с мужиком в «Шкоду-Mb1000». Когда машина отъехала, Странник подошел к ки-

---

[1] — Хочешь работать?

— Готов делать все. Мне нужны деньги, чтобы прикупить немного гашиша и уехать домой.

оску, выломал заднюю дверь и схватил все, что под руку попало. Дрожа, он приволок нам груду бритвенных лезвий и станков «Bic», жевательные резинки, брелоки для ключей — хлам, с которым нам решительно нечего было делать.

На углу стоял здоровенный «BMW». Секунду спустя он был набит всем этим бесполезным барахлом и прибывшими из Сараева маленькими правонарушителями.

По дороге в Макарску Комадина спросил:

— Как вы думаете, фараонам удастся взять нас на своем «тристаче»?

— Да пошли бы они! — расхорохорился Црни.

— Они уже вернулись, — заметил Цоро, глотнув из бутылки ракии и передав ее Комадине.

В зеркало заднего вида он указал на Странника, который беспокойно дергался и заваливался на Црни.

— Эй, наркот, куда полез? — закричал Црни, когда голландец рухнул ему на колени.

Мы расхохотались. Комадина сунул в магнитофон кассету, и с первого же куплета мы хором подхватили:

— «Мать моя, бедняжка, я так ее люблю, с ней провожу все свои дни...»

Мы пели, отбивая ритм по потолку салона и передавая из рук в руки бутылку, пустеющую со скоростью света.

Ракия быстро ударила в голову Црни, который совсем не переносил алкоголя. Он принялся молотить кулаком в потолок «BMW», потом взялся за Странника. Комадина и Цоро прыснули. Почувствовав дружеское одобрение, Црни расстегнул ширинку, чтобы помочиться на Странника. Тот умоляюще смотрел на меня. Я воспользовался моментом, сел между ними и протянул Комадине другую кассету, чтобы он вставил ее в магнитофон.

Црни упаковал свой прибор и уставился на меня. Кассета заиграла. Никто в машине не знал слов.

— I love you baby, та-ра-ра-ри-ра-ра... Ра-ра-ра...

Цоро снова ощутил потребность дубасить в потолок, а Црни, перегнувшись через меня, принялся тузить Странника. Мне это не понравилось.

— Зачем ты бьешь нашего Странника?

— Тебе что, жалко?

— А я тут при чем? Он никому ничего не сделал, а ты его лупишь.

— Ты что, от этого поносом страдаешь?

— Из меня здоровье так и прет, а вот если тебя твоя задница беспокоит, обратись к доктору.

Црни был из тех, кто никому не спустит, но меня обычно не задирал. Сейчас же он не на шутку разъярился и стал колошматить еще сильней. Обстановка накалялась. Напрасно я пытался разнять их.

— Он тебе дороже, чем я?

— Прекрати его бить! Ты меня уже достал!

— Это ты меня достал!

Цоро изощрялся петь по-английски — вот умора! Так что наша с Црни перепалка отступила на второй план. Комадина остановил «BMW» у заправки, опустил стекло и подозвал заправщика в форме югославской нефтяной компании:

— У вас проблемы?

— Нет, слава богу!

— В таком случае мы здесь, чтобы вам их устроить! — И он ухватил заправщика за воротник. — На фараонов работаешь, пидор?

— Нет, клянусь вам!

— Нет?

Комадина отвесил ему крепкую оплеуху.

— Нет, детьми клянусь...

— С сегодняшнего дня работаешь на меня! Выносишь мне все деньги и кладешь в этот карман!

Развернувшись, заправщик попробовал было смыться, но был снова схвачен. Црни подкатом свалил его на землю, и, пока они с Цоро связывали бедолагу, Комадина забрал кассу. Сквозь засунутую в рот вместо кляпа замасленную тряпку заправщик продолжал что-то бубнить. Денег в кассе оказалось совсем мало — парень только что заступил на смену, — и это стоило ему нескольких дополнительных ударов ногой от каждого из нас. Потому что после взлома киоска в Дубровнике увеличение нашего капитала было смехотворным.

Без всякого разбору и за бесценок мы втюхали уличным торговцам свою добычу из киоска. На бабки, полученные за бритвенные лезвия и фальшивые цацки, Странник смог купить гашиш и сделал себе славный косячок.

Пьянущие, мы на четвереньках вылезли на Заострожский пляж. Он казался нам пустынным, пока мы не обнаружили на другом его конце группу отдыхающих с гитарой. Црни первым решил подойти к ним. Он меньше всех выпил, зато больше всех был склонен ко всяким разборкам.

Комадина, Цоро и я валялись на песке, когда он вернулся с пареньком, тыча его в спину своей заточкой:

— Этот господин из Травника желает уступить вам свою комнату для ночлега.

Мы подошли к кучке хиппарей из Травника. Они были немного пьяны и предлагали нам угоститься марихуаной.

Я глазам своим не верил: среди молодых немцев, этих безусых блондинчиков, никак не походивших на серьезных клиентов, вертелась Амра из поезда Сараево—Кардельево. Я встал и, приподняв правое плечо, побрел по пляжу.

Рекомендованная отцом походка не обязательно должна сопровождаться цоканьем подков! Это всего лишь мелкая деталь исполняемого согласно его инструкциям номера! Понятия не имею, с чего вдруг такая мысль пришла мне в голову именно сейчас. Значит, теперь при каждой встрече с Амрой будут возникать эти вопросы: «Почему отец плакал при упоминании о женской отваге? По какой причине он особо подчеркивал мужество Жанны д'Арк? Почему, стоило ему заговорить о матери Момо Капора, он заливался слезами?»

Мое правое приподнятое плечо первым оказалось возле Амры.

— Малыш Калем, слыхал, что есть приказ о вашем аресте?

— Шутишь?

— Кто ты, они не знают, но усатый утверждает, что двоих других он уже брал!

— Откуда тебе известно?

— А это секрет...

Она взяла меня за руку и повела к морю.

— ...Тогда, в поезде, забыла тебе сказать: я видела твою фотографию на пляже в Сплите.

— В Макарске!

— Не важно. Ты и те двое шалопаев лежите на песке. А у тебя, как у пентюха, в плавки еще засунута пачка «Кента»!

— Это для придания фотографии международного значения! Так где же ты видела эту фотку?

— Твой предок хвастался моей сестре. «Классный мужик!» — вот что он о тебе сказал. Он тебя обожает!

— Ты меня с кем-то путаешь!

— И нечего дуться! Знаешь, что сказал Момо Капор в «Записках некой Аны»? Что в отличие от женщины мужчина полигамен!

Меня взбесило, что я не знаю, что такое полигамия, но Амра сразу в упор посмотрела на меня:

— Мужчина стремится к переменам! Ему необходимо много женщин!

Она резко развернулась и направилась к берегу. Девушка сняла свитер, а следом за ним и все остальное и побежала к воде. Я видел ее спину с сильными мышцами, разделенную выступающими позвонками на две равные части до самой лебединой шеи. Плечи словно были изваяны скульптором. Среди ее предков наверняка можно обнаружить всадника, пришедшего из пустыни.

«Интересно, все красивые девушки выходят из пустыни?» — размышлял я.

Несмотря на негодование, вызванное историей с отцом, я бросился за Амрой, на ходу стягивая с себя штаны, рубашку, свитер и башмаки. Смущало меня в тот момент только то, что у меня создавалось впечатление, будто я снимаюсь в американском кино про юных влюбленных. Недоставало только падений с велосипеда, прогулки на лошадях, дегустации мороженого и пробуждения на пляже со словами:

— I love you!

— I love you too!

Я тоже вбежал в воду, осознавая, что вырисовывается продолжение истории, начавшейся на повороте Коньицы. Ну той, когда упорхнуло мое детство...

— Валим! Фараоны! — раздался голос, нарушив тишину пляжа.

Лежа на теплом животе Амры, я открыл глаза.

Держась за руки, мы бросились к «BMW». Я открыл багажник и дождался, пока Амра не влезет в него, потом запрыгнул сам и захлопнул капот. Снаружи слышались крики, возня.

— Послушай, детка, можно сказать, что ты моя любовница?

— Это зависит от...

— От чего? — перебил я ее.

— Есть у тебя кто-нибудь или нет.

— У меня никого нет.

— Тогда как же ты хочешь, чтобы я стала твоей любовницей, идиот?

Мы оба прыснули. Вдруг хлопнула дверца, и чьи-то голоса на мгновение испортили наше веселье.

— Стоять! Или я стреляю! — крикнул кто-то.

Мы не испугались и не прекратили смеяться, более того, мы бы и не смогли удержаться. Автомобиль рванул с места; резкое торможение, переключение скорости, сцепление в пол, круто заложенные виражи — все располагало к хохоту. Но вскоре визг шин и тормозов сменился полной тишиной. И когда Цоро открыл капот, он обнаружил покачивающееся тело о двух головах.

— Пора завязывать с этой тачкой, — постановил Комадина. — Она нас выдаст.

Процесс вынимания нас из багажника оказался столь же эпохальным событием, как бегство с пляжа. Всего миллиметр отделял нас от обрыва. Когда я ступил на твердую землю, мне показалось, что я стою на жаровне, — так горели мои ступни. Мы находились на краю обрыва, и его пустота одновременно и пугала, и притягивала.

— Это и есть близость смерти? — шепнул я Амре.

— Ты ничего не понял! Чтобы войти в экстаз, надо, чтобы умер кто-то близкий.

— Вернусь домой, сразу прикончу своего предка!

Она расхохоталась:

— Сестра говорит, он сладкий, как мед!

Расплывшись в улыбке и упершись задом в капот, Комадина толкал краденую тачку под обрыв. Машина полетела в пропасть неподалеку от Жиговице, а мы пустили по рукам бутылку шампанского. «Бэха» запылала, не достигнув воды, — столб дыма еще долго будет подниматься к небу.

— А я думал, что такая груда железа нырнет в море гораздо быстрее, — задумчиво произнес Комадина.

— Но это все-таки не грузовик!

— Не напоминай мне про грузовик, я больше не шоферю!

Црни вдруг, не знаю почему, принялся вопить:

— Давай, Момо Капор, рожай уже! Говори, какого черта ты все время меня достаешь!

— Бить кого-то ради удовольствия — ненормально...

— Ненормально... Точно!

Он отвесил Страннику крепкую зуботычину. Тот упал и не моргнув глазом сразу попытался встать на ноги. Но Црни, перенеся всю свою тяжесть на одну ногу, придавил его к земле. Я бросился поднимать иностранца, протянул ему руку, тогда Црни сзади саданул меня по ребрам. Я и подумать не мог, что он на меня покусится. Все в банде знали, что я сильнее его. Мой друг, конечно, приревновал меня к Амре: он ведь вечно твердил, что женится на брюнетке с отливающими фиолетовым глазами. Как у Лиз Тейлор.

— Значит, желаешь, чтобы я тебя отоварил, — сказал я, закатывая рукава и расстегивая ремешок часов, чтобы передать их Амре.

— Ну-ка, прекратите! — вмешалась она.

— Вот уж нет, — решительно возразил я.

Црни поступил так же. Он снял часы, потом золотую цепочку и браслет. Стоя посреди шоссе, мы смерили друг друга оценивающими взглядами. Кто ударит первым?

— Не строй иллюзий, Црни, я тебя уничтожу.

— А я порву тебя на части, Момо Капор. Но мамаша тебя признает...

— Я не Момо Капор! И ты прекрасно знаешь, как меня зовут!

— Родная мать признает тебя и в виде фарша. Но только по глазам!

Он был ниже меня ростом, поэтому решил, что, бросившись мне под ноги, сможет оторвать меня от земли. Не вышло! Я отвесил ему левой, а потом еще добавил по затылку правой. Он вскрикнул от боли.

— Так, значит, голландцы тебе больше нравятся, да? — крикнул он, стирая кровь с губ.

Еще мгновение, и он набросился на меня. Я отклонился в сторону, но Црни зацепил меня своей заточкой. Брызнула кровь, но я не испугался. Когда он снова кинулся на меня, я схватил его за шею. Он вырвался и, дернувшись в сторону, предательским движением попытался садануть мне головой в живот, но попал в локоть и потерял равновесие. Как всегда бывает вечером после великих сражений, установилась торжественная тишина.

Я прерывисто дышал, но удержался на ногах в боксерской стойке и не спускал с Црни глаз. К нему подошел Цоро, приподнял его руку. Рука безвольно упала. Цоро взвыл: он не понимал, жив ли Црни. Я поднял кулак над его головой:

— Ты тоже хочешь?

Мы все решили, что Црни умер.

— Он ударился головой о землю, — заметил Комадина.

Цоро потряс вялое тело, выскользнувшее у него из рук. Он заливался слезами и по гораздо менее серьезным поводам.

— Теперь я уже никогда не смогу выпить с ним кофе в общежитии инвалидов! — всхлипывал он.

Как поверить, что твой товарищ умер?! Отец плакал над ролью женщин в истории, а я — потому что я убийца! Господи, отцу повезло! Если то, что говорит Амра, не ложь, отец ведет двойную жизнь. Вот в чем его правота: он нашел равновесие. А что моя жизнь... Она пропала...

— Нет, Црни! Не делай этого... Господом Богом молю!

Воздев глаза к небу, я кричал, чтобы хоть кто-нибудь там, наверху, услышал и запретил Црни умирать! И вдруг меня парализовала ужасная боль, из живота хлынула горячая кровь...

Просто Црни был волком... «Волчья уловка, как тогда, у Сейдича», — мелькнуло у меня в голове.

Црни прикинулся мертвым, а когда убедился, что сможет попасть, воткнул свою заточку мне в живот. А потом еще несколько раз.

Наверное, мой крик был слышен на море и в порту Живогошче. Црни приподнялся, встал на колени и схватил камень, чтобы добить меня. Амра принялась колотить его сумкой, но, увидев следы крови на асфальте, в ужасе закричала. Мне нисколько не было больно, только кровь волнами выливалась из меня и текла по ляжкам. Я чувствовал ее тепло на своих ногах. Цоро и Комадина схватили Црни за руки. Мне удалось повернуться на бок и отпихнуть остервенелого врага. Встав на ноги, он начал пинать меня:

— Получи, Момо Капор! Вонючая голландская подстилка!

Обернувшись к Страннику, он вновь занес свою заточку, чтобы ударить его:

— Теперь твоя очередь! Грязная проститутка!

Спасаясь от смерти, Странник бросился наутек. Он бежал и постоянно оглядывался. На повороте он решил убедиться, что Црни его не преследует. Но Црни резко затормозил, заметив автомобильные фары. Из-за поворота на полной скорости выскочил полицейский «фиат» и сбил Странника. Глухой удар, кульбит, падение. Воцарилось тяжелое молчание. Его нарушало только зловещее уханье совы. И хотя ситуация была критическая, в голову мне снова пришел дурацкий вопрос: какие звуки издают цикады, когда совокупляются?

Станет ли моя смерть логическим продолжением событий? Неужели это конец — после тех наслаждений и вершин, к которым привела меня Амра?

Нет ничего теплее крови и ничего таинственнее этой жидкости. Заметив, что силы покидают меня, Амра расплакалась так, словно это наше последнее расставание. При виде лужи крови, в которой плавали мои ноги, Комадина пришел в ужас.

В свете фар своего «тристача» суетились полицейские: в каких-то пятидесяти метрах от нас обезумевшие тени метались между машиной и безжизненным телом иностранца. Сперва темные силуэты склонились над трупом, потом замерли возле рюкзака, отброшенного ударом на обочину.

— Я звоню на пост?

— На пост? Ты что, идиот или как? Хочешь за хиппи чалиться на нарах в Зенице?

— Нет...

— Тогда лучше помоги. Его надо убрать отсюда!

Они подняли тело и сбросили его в освещенный фонарем котлован у выезда из Живогошче. Один из полицейских вернулся к машине за канистрой и шлангом и стал переливать бензин из бака в канистру. Потом они облили Странника бензином и подожгли. Несмотря на то что пламя мгновенно занялось, полицейские злились, что парень горит недостаточно быстро.

— Чертов голландец, ничего толком не может!

— У них все кости отсырели из-за их сраного океана!

— Нам бы газосварку! — предложил кто-то из полицейских.

Автомобиль тронулся с места, метров сто проехал задом, после чего, визжа шинами, на полной скорости помчался в сторону города. Вместе с фарами исчезли тени; только собака выла где-то вдалеке, да из-за перепадов напряжения мигали фонари на въезде в Живогошче.

Вернувшись, полицейские поспешно подожгли труп газосварочной лампой, и очень скоро тело Странника превратилось в пепел.

Моя кровь изливалась волнами, и картинка перед глазами постепенно тускнела. Пока Комадина и Амра тащили меня, я успел заметить, что полицейские сгребли пепел в золотистую консервную банку. Луна освещала тянущуюся за мной по шоссе кровавую дорожку. Когда окончательно стемнело, Комадина разорвал свою рубашку, схватил мою руку и с силой прижал ее к моему животу, в том месте, откуда лилась кровь. Остановилась машина, взвизгнули шины.

— Прижми, слышишь? — сказал Комадина, завязывая у меня на животе свою рубашку.

— Что случилось? — спросил вышедший из автомобиля полицейский.

— Скорей! — умоляла Амра. — Он истечет кровью, если мы не отвезем его в больницу. Он умрет у нас на руках...

— Что случилось? — повторил полицейский.

— На него напал наркоман! Ворвался в его палатку и ранил!

— Чем эта гнида-наркот его ранил? — спросил полицейский, глядя на своего коллегу.

— Заточкой.

— Чем? Заточкой? Вот урод! Говорил я тебе, с этими наркошами не до шуток.

Никакой картинки. Видать, взорвалась катодная трубка телика.

Я очнулся в больнице, голый, как червяк; распростертый на операционном столе, с натянутой до подбородка белой простыней. Мне открывали глаза. Мне показалось, пальцы Амры. Надо мной склонилась медсестра. Она распрямила мою руку и поправила тонкую пластиковую трубочку, соединявшую капельницу с веной.

— Похоже, ты родился в рубашке, но без мозгов! Еще миллиметр, и остался бы без желчного пузыря.

— Сраный наркот! — выругался один из полицейских.

Он посмотрел на медсестру, которая меня перевязывала, дождался, пока она не уйдет за стерильными салфетками, огляделся. Пошептался с другим полицейским. Тот, что повыше, достал консервную банку. Они собрались высыпать пепел в окно на заросли лаванды на больничном дворе. Хотя все еще было утро, над Макарской уже дул маэстраль[1]. Полицейский

---

[1] *Маэстраль* — на Ионическом море и на Адриатике северо-западный летний ветер, дующий, когда над Балканским полуостровом проходит циклон.

отворил окно и вытряхнул содержимое банки. Ветер понес пепел над лавандой к морю. Но сильный порыв снова задул его в палату. Сначала пеплом засыпало лицо полицейского, потом клубящееся облачко добралось до Комадины и Амры. Они не поняли, что Странник, теперь уже в вечной форме, возвращается прямо к ним. Сцена приобрела вид истерической комедии. Боль в животе мешала мне смеяться, но я буквально помирал со смеху, глядя, как полицейский настойчиво борется с ветром, заставляющим пепел кружиться по комнате, и пытается снова собрать его в банку. Оба полицейских не знали, что Амра, Комадина и я стали свидетелями их преступления. Чтобы сменить мне повязку, вернулась медсестра, которая тоже была не в курсе.

— Эй, чтобы никакого кровотечения во время моего дежурства, понял? — сказала она, увидев, что я смеюсь.

— Не бойся, подожду твою коллегу. Кажется, она подобрее тебя!

— Ты скоро помрешь, парень!

Второй полицейский посмотрел на меня, словно понял, что можно не опасаться, что история Странника в браке — а теперь в пепле — однажды будет предана огласке. Эта истина устанавливала между нами ничью. Уж не знаю, считать ли ложью сокрытие убийства. По законам разведчиков-гонцов хранить молчание о преступлении не значит лгать, верняк. А как в жизни? Что я смогу рассказать обо всей этой истории, когда вернусь домой? Умалчивать великие истины равносильно большой лжи? Несомненно одно: полицейские прибыли вовремя, иначе сейчас я вместе со Странником охотился бы за ланями на гобеленах Витера. Жизнь и смерть смешались в нас с пеплом голландского туриста, и в тот миг, когда ветер стих, была поставлена финальная точка на приключениях Момо Капора.

— Как же мне теперь вернуться домой?

— Об этом не может быть и речи. Поедешь ко мне.

— Можешь себе представить, как я появлюсь в таком виде перед матерью?

— Подготовить твоего отца поможет моя сестра.

— Не желаю больше никогда о нем слышать!

Амра взяла дело в свои руки; ее кузен Фахро прикатил на своем ослепительно сверкавшем «форде-таунусе», только вот запах освежителя воздуха, смешавшийся с испарениями пластмассы и плохой стали, да вдобавок отсыревшего волглого коврика разъедал глаза почище, чем железнодорожный сортир! Так что в Сараево я въехал в полуобморочном состоянии.

После моей первой поездки в Зеницу к тете и до настоящего момента возвращение в Сараево всегда пугало меня. Уж не знаю, какое тогда было расписание у поездов, но все они имели одну общую черту: обратный путь всегда начинался в сумерках или на рассвете. Приглушенный абажурами желтоватый свет за окнами новостроек казался мне тревожным.

Проезжая мимо своего дома, я увидел, что у нас в кухне горит свет. Я терзался, представляя, как беспокоятся Брацо и Азра. Кстати, стоило мне подумать о Брацо, как у меня мгновенно подскакивала температура. Я почувствовал облегчение, только когда ступил во двор одноэтажного домика на Горуше, под номером пятьдесят три. Он показался мне намного симпатичней того, где меня ждала неприятная встреча с отцом. Глядя на желтый свет под потолком, я быстро уснул. Около полуночи меня разбудил мужской кашель и женский смех в соседней комнате. Высвободиться из объятий Амры было непросто, но еще трудней оказалось добраться до ванной: мешала стреляющая боль в животе. Я зажег свет и уже собирался принять таблетку, когда кто-то вошел. В зеркале за своей спиной я увидел... отца, Брацо Калема! Собственной персоной!

— Ты здесь? — удивился он.

— Да.

— Откуда ты взялся?

— А ты?

— Я думал, ты в Ябланице, на озере...

— А у тебя разве не было «важного дела» в Белграде?

— Я вернулся вчера вечером.

В шелковой комбинации, маленькая, с любопытными глазками и пышной грудью, в дверях ванной комнаты нарисовалась сестра Амры.

— Неужто малыш Калем? Ух ты, Амра не наврала! Настоящий кукленок!

— Для таких, как ты, я не кукленок!

— А кто я, ну-ка, скажи!

— Шлюха!

Я стремительно выбросил вперед руку и схватил любовницу отца за волосы. Она завопила, отец заслонил ее от меня:

— Отпусти немедленно.

— Ты!

— Что я?

— Ты рыдаешь, как баба, над Жанной д'Арк. Это из-за своих делишек ты так заливаешься слезами?

— Я? Рыдаю, как баба?

— Да, ты!

— Выбирай выражения!

— Оставь меня в покое!

— Постыдись, Алекса!

— Это тебе стоило бы постыдиться! Предатель!

— Я твой отец!

— Лучше бы ты им не был, лицемер!

Мне не стоило труда вырваться оттуда: легкий удар вдавил отца в стену. Вытянув руки перед собой, я надвигался на его любовницу. Ему не удалось удержать меня. Она осела на пол, а отец снова бросился на меня. Я с силой оттолкнул его, он потерял равновесие, ударился о раковину, падая, ухватился за подзеркальную тумбочку, и на пол вместе с ним полетели разные мелочи.

— Вот теперь я слышу свою походку! — бросил я, преследуя сестру Амры.

Каждый мой шаг оставлял на выщербленном полу ванной комнаты новую каплю крови. Открылась рана у меня на животе.

Позже, уже днем, мы с отцом очутились в кошевской больнице. Все, что там произошло, превратилось в ложь.

Зрелость наступает, когда свыкаешься вот с какой истиной: ложь может оказаться более полезной, чем сама истина. Но этого осознания все же было недостаточно, чтобы стать взрослым: зрелость уж точно не приходит с покупкой башмаков с металлическими носами и удовольствием, получаемым от звука собственных шагов.

Я не проронил ни слова, пока мой отец лгал, — и сразу стал его сообщником. Потому что, если бы Азра узнала все от меня, если бы она поняла, из какого количества лжи состоит истина, наша семья разлетелась бы вдребезги, а вместе с ней, без всякого сомнения, и я.

Наше вызволение из больницы Азра взяла на себя. Было воскресенье, и не нашлось никого из администрации, кто мог бы заверить документ на выписку. Уже в такси, по дороге домой, она принялась распекать Брацо:

— Скажи, зачем надо было так гнать? Я попросила тебя привезти сына, соблюдая все правила как положено! А ты...

— Честное слово, я ни разу не превысил скорости, ехал не больше шестидесяти...

— Разумеется, превысил! Знаешь, сколько аварий случается на Ябланицкой дороге?

— Ладно, согласен, покрышки были лысые... Но больше меня ни в чем нельзя упрекнуть! Спроси Алексу...

Он взглянул на меня, и одному Богу известно почему, но я завелся с пол-оборота:

— Самое ужасное — был первый ливень! На шоссе песок, вытекающее из грузовиков масло, и мы скользим...

Говоря, я следил за Брацо в зеркале заднего вида.

— Вот, смотри! Это все следствие резкого торможения, а шишки — от ударов головой вперед-назад! — объяснил я происхождение синяков, которые наставил отцу, стараясь вмазать его любовнице.

Всего одно мгновение на пути к зрелости.

Если бы все это предшествовало событиям на дороге в Макарску, я, поклонник истины, рассказал бы, что произошло на самом деле. Теперь же было очевидно: две лжи породили истину — мою зрелость. Слезы, проливаемые моим отцом над героическими женщинами, были более наглой ложью, чем та, которую он изрекал сейчас. Истина всегда идет об руку с ложью. К счастью, Азра смотрела на меня, иначе я бы расхохотался. Вымысел разрастался, а я ощущал огромное облегчение, что не должен рассказывать о бурных событиях последних десяти дней! Я никогда не перестану быть разведчиком-гонцом, который знает, когда следует промолчать!

Отец оказался посвящен в две самые главные тайны моей жизни. Первая касалась смерти Странника в браке, а вторая — наступления зрелости юноши, который обзавелся любовницей, даже не успев найти себе подружку. Я хранил молчание.

На следующий год Брацо выделил деньги из своей тринадцатой зарплаты и дал Азре, чтобы купила мне башмаки.

— Он сказал, что я должна купить тебе ботинки, — сообщила мне мать. — И что взрослые должны носить достойную обувь!

— Мы можем купить «мадрас»? Это модно.

— Как хочешь!

Шло время, а разговоры моих родителей оставались все теми же. По дороге в Затон, где находились дачи высшего общества Сараева, я, уверенный в том, что провалюсь на вступительных экзаменах, читал «Философию искусства» Ипполита Тэна. Идея изучать архитектуру принадлежала не мне, и я не питал иллюзий.

В «Философии», в частности, было написано: «Взаимосвязь и взаимозависимость всех частей».

« А парень не дурак! — думал я. — Похоже на закон природы!»

Голос матери отвлек меня от моих философствований. Она указывала отцу на островок возле Стона:

— Когда у тебя будет что-нибудь вроде этого?

— Никогда. Мне уже сейчас нелегко оплачивать трехкомнатную квартиру, даже со скидкой; ты собираешься продать дом, чтобы оплатить учебу сына, и при этом спрашиваешь меня, когда у меня будет остров! Какая же ты бестолочь, храни тебя Господь!

— Почем знать? Этот остров принадлежит Момо Капору!

— Принадлежал, Азра. Принадлежал. Во время оно. Момо Капор развелся, и теперь это остров его бывшей жены.

— Откуда ты знаешь, что Момо развелся?

— Да ты сама мне сказала!

— Что ты говоришь?

Брацо остановил «Фольксваген-1300с», Азра нарвала на обочине лаванды. Мы с Брацо обошли скалу, за которой открывался вид на море. Несмотря ни на что, мы разговорились.

— Прошлое должно остаться в прошлом, — изрек Брацо, пока мы облегчались, созерцая морской простор.

— Забудем!

— Ты знаешь, мне все известно.

— Все?.. Неужели?

— История Странника. И твоя тоже. Ты ведь чуть не погиб.

— Не может быть!

— Может... Амра работает в иностранном отделе Комитета национальной безопасности.

— А что тогда с иностранцем?

— Он убил двоих наркодилеров в Утрехте, а потом смылся. С тех пор голландская полиция считает его без вести пропавшим.

— У него вроде была жена...

— Жена?! Чепуха все это...

Время накапливает следы в забвении, словно добросовестный чиновник — документы в папках. К окончанию лицея моя жизнь разложила по таким невидимым папкам богатые ложью и истиной картины. Я напрасно скрывал историю своей ужасной поездки, жизнь научила меня восстанавливать истину. Не стоит прикидываться дураком по отношению к ней. Иначе как бы я узнал правду о своем отце, Брацо Калеме? И смог бы когда-нибудь ответить на этот вопрос: «Почему мой отец плакал над героической ролью женщин?»

— Шикарные ботинки!

— Мне очень нравятся, правда!

— Хочешь оказать мне услугу?

— Какую?

— Если я внезапно умру, надо, чтобы ты первым оказался возле меня: возьмешь мою записную книжку и сделаешь так, чтобы она исчезла.

— Ладно, — без колебаний согласился я. Мне следовало признать очевидное, чтобы таким образом скрыть истину: мой отец был Странником в браке. Улыбка сползла с моих губ, а под глазами залегли первые морщины.

СОДЕРЖАНИЕ

Литературно-художественное издание

ЭМИР КУСТУРИЦА

СТО БЕД

Ответственный редактор Галина Соловьева
Редактор Анна Ефремова
Художественный редактор Виктория Манацкова
Технический редактор Татьяна Тихомирова
Компьютерная верстка Нины Шабуниной
Корректоры Ирина Киселева, Лариса Ершова

Главный редактор Александр Жикаренцев

Подписано в печать 17.07.2015. Формат издания 84 × 100 $^{1}/_{32}$.
Печать офсетная. Тираж 10 000 экз. Усл. печ. л. 12,4. Заказ № 1394/15.

Знак информационной продукции
(Федеральный закон № 436-ФЗ от 29.12.2010 г.): 16+

ООО «Издательская Группа „Азбука-Аттикус"» —
обладатель товарного знака АЗБУКА®
119334, г. Москва, 5-й Донской проезд, д. 15, стр. 4
Филиал ООО «Издательская Группа „Азбука-Аттикус"»
в Санкт-Петербурге
191123, г. Санкт-Петербург, Воскресенская наб., д. 12, лит. А
ЧП «Издательство „Махаон-Украина"»
04073, г. Киев, Московский пр., д. 6 (2-й этаж)
Отпечатано в соответствии с предоставленными материалами
в ООО «ИПК Парето-Принт».
170546, Тверская область, Промышленная зона Боровлево-1, комплекс № 3А.
www.pareto-print.ru

ПО ВОПРОСАМ РАСПРОСТРАНЕНИЯ ОБРАЩАЙТЕСЬ:
В Москве:
ООО «Издательская Группа „Азбука-Аттикус"»
Тел.: (495) 933-76-01, факс: (495) 933-76-19
E-mail: sales@atticus-group.ru; info@azbooka-m.ru
В Санкт-Петербурге:
Филиал ООО «Издательская Группа „Азбука-Аттикус"»
Тел.: (812) 327-04-55, факс: (812) 327-01-60
E-mail: trade@azbooka.spb.ru; atticus@azbooka.spb.ru
В Киеве:
ЧП «Издательство „Махаон-Украина"»
Тел./факс: (044) 490-99-01. E-mail: sale@machaon.kiev.ua
Информация о новинках и планах, а также условия сотрудничества
на сайтах: www.azbooka.ru, www.atticus-group.ru